徐武軍 徐元純 輯

徐復觀教授看世界——時論文摘

卷二之四 文化 藝術 文學

臺灣學生書局印行

序

徐復觀先生是著名的思想家與思想史家，現當代新儒家之重鎮。徐先生一生在學術與政治之間，「以傳統主義衛道，以自由主義論政」。他是風骨嶙峋的勇者型的人物，時常批評政治，在政治上主張民主、自由、人權，有道德勇氣。他肯定中國知識份子的使命感、入世關懷、政治參與和不絕如縷的犧牲精神。他身上體現了人文知識份子以價值理念批評、指導、提升社會政治的實踐品格。在文化上，他是中華民族文化根基的執著守護者，曾誓言「要爲中國文化當披麻戴孝的最後的孝子」。

一九四九年以後，唐君毅、牟宗三、徐復觀三先生客居香港、臺灣，共同弘揚中國傳統文化精神。與唐、牟兩先生不同的是：徐先生不是從哲學的路子出發的；對傳統與現實的負面，特別是專制主義政治有很多批判；有庶民情結。徐先生是集學者與社會批評家于一身的人物，是文化守成主義陣營中最具有現實批判精神、最易於與自由主義思潮相頡頏又相呼應的代表人物。

徐先生寫了三十多部專著、文集，發表過近百篇學術論文和數百篇時論、雜文。徐先生學術的代表作是三大卷的《兩漢思想史》，以及《中國人性論史》（先秦篇）、《中國藝術精神》、《中國經學史的基礎》、《中國思想史論集》及其續編等。作爲思想史家的徐復觀，對中國思想史的總體，特別是對先秦兩漢思想史、中國藝術史下了極大的功夫，有精到的研究。

作爲「學術與政治之間」的人物，他的政論雜文聞名於世，不僅數量豐富，且其文風雄健，眼光獨到，極具批判鋒芒，可謂鞭辟入裏，在中國現當代思想史上影響甚巨。他特別表現了儒家的抗議精神，他所留下的大量的「學術與政治之間」的時評，與思想史著作相得益彰，頗能表現他的風骨和他的學術的特點。他是從人的具體生命與生活的體驗出發，來做學術研究的，他的學術與人民的生活有密切的關聯。

徐復觀先生的哲嗣、長公子徐武軍教授等主編、整理了《徐復觀全集》，於二〇一四年由九州出版社刊行。近年來，武軍教授與女兒元純小姐從復觀先生三百餘萬字的「時論」中，摘、輯了六百餘則的文句，內容涵蓋了徐復觀先生要傳送給社會的訊息，和他對社會的觀察、批判及建議，編成本書。編者的初心，是期望能比較全面的、完整的呈現出徐復觀教授人生中廣接地氣的一面。

編者很有眼光，費心選編了本書，內容包含了自敘、讀書和研究的方法與態度、智識份子、教育、文化、藝術、文學、政治、軍事等方方面面，並附錄了兩文以便讀者瞭解復觀先生的人生經歷與生命精神。

近來拜讀了編者擇取的徐先生的精粹文句，深受教益。尤其是徐先生有關如何理解傳統與現代、東方與西方、中國文化、民主政治的論述，我覺得是非常深刻的，對今天的我們仍然啓發良多。

徐先生說：「我的根本動機和努力的方向，都在中國文化的再認識，想由此以確定中國文化的內容、意義、地位，以幫助中國人在精神上能站起來。」

「中國文化對今後人類之有無價值，不關於其與西方文化之有無相合，而關於其曾否提出在西方文化中所未曾提出之問題、方法與結論。」

他又說：「一個人讀了書而腦筋裡沒有問題，這是書還沒有讀進去，所以只有落下心來再細細的讀。讀後腦筋裡有了問題，這便是叩開了讀書的門，所以自然會趕忙的繼續努力。」

不僅在文化問題上，不僅對於我們的讀書與思考，細讀本書，我們會在很多方面獲益匪淺！我覺得這裡有振聾發聵的聲音，當頭棒喝，醍醐灌頂！我竭力向讀者推薦本書，特別希望青年學子都來讀這本書，不爲別的，只爲昇華各位自己的精神生命！

是爲序。

郭齊勇　戊戌年春節于武漢大學

編者序

我們從徐復觀教授（一九〇三－一九八二）三百餘萬字的「時論」中，摘、輯了六百餘則的文句，內容涵蓋了徐復觀教授要傳送給社會的訊息，和他對社會的觀察、批判及建議，編成本書。我們的初心，是期望能比較全面的、完整的呈顯出徐復觀教授人生中廣接地氣的一面。

《論語》記錄了孔子教學生要如何修身、告訴君主該如何治國，完整的規劃出：個人的行爲、人與人之間的關係，以及治國的方向和原則。

徐復觀教授是二十世紀新儒家中唯一奉《論語》爲最高經典的學者。如果在二十一世紀閱讀徐復觀教授撰寫於一九四九年至一九八二年間的「時論」，依然能感受到時代和社會的脈動，那就基本上正面回答了「儒家學說是否能引導中國向上提升和向前邁進」這個問題。

我們相信這是徐復觀教授希望能看到的。

感謝：郭齊勇教授撰序；陳樹衡先生題封面；不具名的學者和王晨光博士詳細的審閱文稿，對書的結構內容安排提出看法和建議。

徐武軍 徐元純 敬誌，二〇一八年春

徐復觀教授看世界 時論文摘

總目次

四之一卷

序……郭齊勇 I
編者序……V
壹、自敘 十五則……一
貳、讀書和研究的態度與方法 二十九則……一九
參、智識份子……五五

參之一、『士』 九則……五七
參之二、政治與智識份子 四則……六九
參之三、近代中國智識份子的性格及言行 二十四則……七七
肆、教育……一〇七
肆之一、論教育 七則……一〇九
肆之二、『師』 四則……一一九
肆之三、看教育 十五則……一二七

四之二卷

伍、文化……一四五
伍之一、傳統與文化 二十八則……一四七
伍之二、儒家文化 二十八則……一八五
伍之三、西方的思維 十則……二三一

伍之四、中西文化 二十六則……二三七
伍之五、宗教 十五則……二六七
伍之六、談文化 四十則……二八七
陸、藝術……三三三
陸之一、藝術的根源 八則……三三五
陸之二、中國藝術 五則……三四七
陸之三、現代藝術 七則……三五七
陸之四、藝術家和藝術作品 七則……三六九
柒、文學……三七九
柒之一、文學的根源 十七則……三八一
柒之二、文學的社會性 九則……四〇三
柒之三、文學的民族性及世界性 九則……四一五
柒之四、論文學 二則……四二九

四之三卷

捌、政治……四三五
捌之一、民主政治 三十二則……四三七
捌之二、學術與政治 二十二則……四七五
捌之三、政治人物 十九則……五〇五
捌之四、泛論政治 七十七則……五二七
玖、軍事 八則……六一三

四之四卷

拾、民族主義與民主政治 二十三則……六二三
拾壹、國際政治……六五七
拾壹之一、總論 二十則……六五九

拾壹之二、各論……六八五
拾壹之二之一、美國 八則……六八六
拾壹之二之二、俄國 十二則……六九七
拾壹之二之三、日本 十四則……七一一
拾壹之二之四、中東 四則……七二七
拾壹之二之五、越南 三則……七三三
拾貳、台灣 二十二則……**七三七**
拾參、中國大陸 四十八則……**七六五**
拾肆、海峽兩岸 二十一則……**八二五**
附錄……**八四九**
附錄一 徐復觀教授的軍政生涯事略 一九三二年~一九五一年 楊誠 徐武軍……八五一
附錄二 父親的時代 徐武軍……八七一
附錄三 二〇一七年六月二十五日徐武軍致東海大學函……八九一

伍、文化

伍之一、傳統與文化

傳統與文化之一

『人類歷史中，只看見有的民族消滅了，但其民族的文化，依然由另一民族所傳承而不絕的事實。斷乎沒有民族未消滅，便首先會消滅其自身所創造的文化。』

——一九五二／五／一，〈儒家精神之基本性格及其限定與新生〉，《民主評論》三卷十期

傳統與文化之二

『日本大儒之一的伊藤仁齋，在《論語》每卷的卷首，都寫上「最上至極，宇宙第一」八個字，由此可窺見其無限虔敬的精神。由日本儒者此種虔敬的精神，所以儒教是中國的文化，也是日本的文化；孔子是中國的聖人，同時也是日本的聖人。這還有什麼民族的隔閡，乃至民族的高低？

『西方的國家中，假定有人以基督是希伯來、蘇格拉底是希臘，而認繼承其文化大統，會有民族的問題，那才真是笑話。』

——一九五三／八／十六，〈日本真正的漢學家安岡正篤先生〉，《民主評論》四卷十六期

傳統與文化之三

『一個民族的光榮偉大，主要是表現在對自己文化的傳承和對外來文化的吸收。在文化上不能傳承和吸收的民族，是生命力已經僵化了的民族，因之也決不是能創造文化的民族。』

——一九五三／八／十六，〈日本真正的漢學家安岡正篤先生〉，《民主評論》四卷十六期

傳統與文化之四

『由生活的目的性、理想性所建立起來的東西，我們才可稱為文化。生活與文化之間，並不能簡單畫上一個等號。

『文化一定是從現實生活中昇華起來；並且昇華以後，依然應當，並且也必然會落實，和擴大向現實生活中去；因而生活與文化，常常是緊密相連。

『文化，是不斷地在變遷；文化的變遷，有的是出於自然的趨向，有的是出於人為的努力。

『文化的變遷，是不會成為問題；所成為問題的，是文化在如何的變遷？以及應當如何去變遷？文化上的爭論，大體是從這裡發生的。』

——一九六〇／四／十二、十三，〈不思不想的時代〉，《華僑日報》

傳統與文化之五

『能在歷史中長期生存發展的民族，其文化的主流，必具備有三種永恆性的功用：

『一是維持人的正常生活狀態。

『二是維繫人與人之間的和諧、團結。

『三是維護民族的生存，及善盡民族對人類的責任。

『孔子之教畢竟是中國文化的主流；為什麼在經歷許多苦難中，我們民族、也只有我們民族，能始終屹立不動。

『孔子所說的「克制自己的私欲，以恢復應有的正常合理的生活形式」的「克己復禮」，也就是在答覆另外一位學生時所說的「居處恭，執事敬，與人忠，雖之（往）夷狄，不可廢也」，這都是三種功能中前兩樣功能的源泉。』

——一九六〇／七／十六，〈孔子的「華夷之辨」！〉，《華僑日報》

傳統與文化之六

『「現在」才是現實生活的具體內容。但不僅現實生活所憑藉的物質，主要係依賴「過去」所蓄積而來，因而使人不能不回顧「過去」；並且在人類的精神生活中，有一種自然而然地要求自己的生命有一個來源的衝動，因而為了知道自己生命的來源，作過了不少的共同努力。這種努力，常常形成人類文化的重大財產。

『要求知道自己生命來源的精神衝動，是人類一種感情的活動。這是帶有永恆性、普遍性的一種感情。

『所謂「未來」，可以縮短到對於「今天」而言的「明天」。生活中的「明天」，可以無限的延伸、擴大，可以延伸到自己子孫的瓜瓞綿綿；可以擴大到人類整個的歷史命運。

『對明天的絕望也即等於對自己生命的絕望。人類積極性的努力，都是為的有了今天，還要有更好的明天的。』

——一九六〇／四／二十二，〈從生活看文化〉，《華僑日報》

傳統與文化之七

『人類實際是生活在「過去」、「現在」、「未來」所連結的「歷史之流」裡面。但此種實際連結的情形，並非一般人所能了解。於是，便有少數特出的人物，出而擔當這種解述的任務。

『最先出現的是各種民族起源的神話，接著便是宗教。

『宗教的主要內容，便是要把每一個人的過去、現在、未來，很緊密的連接在一起。因果報應之說，解答了潛伏在個人精神內，要把過去、現在、未來，連結在一起的要求。基督教的上帝七日造人、及末日審判，在基本性格上，與佛教也無二致。』

——一九六〇／四／二十二，〈從生活看文化〉，《華僑日報》

傳統與文化之八

『人類是以現在為基點而通到過去，聯想未來的。

『在穩定的「現在」中，人們只以純知的態度想到過去，以浪漫的態度想到未來；這種過去、未來，僅是對於人們享受「現在」的陪襯。

『若「現在」已經失掉了它的穩定性，人們已經感到把握不住自己的現在，便常會以求救的心情想到過去，以憂鬱而迫切的態度想到未來。此時的未來，乃真成為思想家精神之所縈繞。』

——一九六〇／四／二十二，〈從生活看文化〉，《華僑日報》

傳統與文化之九

『一切的生活，除了衣、食、住、行的物質條件之外，還要靠辨別善惡、美醜的價值判斷，並對於這種判斷加以信任，才能得到精神上的支持，因而得到生活上的自信與充實。

『價值判斷成就各人的人生觀、世界觀，指示各人以生活的目標，提示各人以生活的意義。價值判斷的總匯，即成為歷史的目標，歷史的意義。人們不能離開價值而生存，也和不能離開衣食住行而生存是一樣。』

——一九六一／六／九，〈危機世紀的虛無主義〉，《華僑日報》

傳統與文化之十

『反傳統的人，若把反傳統的思想，在自己的生活行為上實現，便一定是反社會，或是從社會中孤立起來的人。

『反傳統的思想，要得到社會大衆的支持，只有通過兩種途徑：

『一是隨時間之經過而讓自己的主張加入於傳統之中，以形成新的傳統，有如今日的白話文等等。

『另一是展開所謂「社會運動」，有計畫地對社會加以說服或強制，有如許多革命者之所為。』

——一九六二／三，〈論傳統〉，《東風》

傳統與文化之十一

『傳統，是某一集團或某一民族，代代相傳的生活方式和觀念。因為是代代相傳，所以從時間上看，有其統緒性；因為是某集團地，所以從空間上看，有其統一性。

『傳統是具備五種基本的性格、或構成的因素。缺一種性格或因素，就不能成為傳統。

『1.民族性——民族是由血緣、語言、文字、共同利害等許多因素所逐漸形成的。必須醞釀出共同的感情願望，並產生共同的生活方式，某一集團才會以民族的成員出現於歷史舞台之上。所以離開了民族，便無所謂傳統；離開了傳統，也無所謂民族。

『2.社會性——傳統是社會性的創造，它即生根於社會之中。

『3.歷史性——傳統是大多數人在不知不覺中共同創造、約定俗成的。傳統一定要在歷史的時間之流中才能產生、形成。傳統與歷史是不可分的。不了解歷史的人，一定不能了解傳統。

『4.實踐性——凡所謂傳統，大多都是與人們具體的生活關聯在一起。換句話說，一般所說的傳統，不是存在書本或講壇之上，而是生存於多數人的具體生活之中。

『5.秩序性——凡是談到傳統的，一定連帶談到秩序，認為傳統是代表一種共同生活的秩序。這裡所說的秩序，是就個人與群體的諧和、自由與規則的諧和來說的傳統，乃是大家所不約而同的共同生活的方式。』

——一九六二／三，〈論傳統〉，《東風》

傳統與文化之十二

『什麼是傳統（tradition）？簡單地說，他是某一種集團所代代相傳的共同生活樣式及觀念，在時間上因為是一脈相傳的，所以有其統緒性；在空間上因為是共同承認的，所以有其統一性。』

『傳統所包含的五種特性，即是它的民族性、社會性、歷史性、實踐性、秩序性。前三者又可以說是它的構成因素，後二者又可以說是它的存在形式。』

『民族，是由血緣、地緣、語言、文字、共同利害等許多因素，互相發生作用，所逐漸形成的。不過，上面的許多因素，一定要到醞釀出共同的感情、共同的基本觀念，以形成共同的生活習慣，亦即是形成所謂傳統的某一集團，才會真正以其民族特性，出現於世界舞台之上。』

『世界上沒有無民族的傳統，也沒有無傳統的民族。民族意識的覺醒，一定隨伴著某程度的傳統意識的覺醒。』

『每一個人，都要過著社會性的生活。不過，在一群人中間，必須彼此不必說明理由，而即能互相了解各組成分子的日常生活行為，因而能得到有形、無形的合作，這才能構成一種社會生活。只有通過傳統，才有可能。

『每一種風俗習慣乃至觀念，能得到大家無言地承認而成為傳統，必須經過時間的醞釀。

『因此，傳統必然是歷史中的產物。一個人，必須通過歷史的感覺，才可在意識上把握到傳統。

『某種觀念之能成為傳統，必須這種觀念須浸透於社會實際生活之中。傳統乃存在於大眾生活實踐之中；在實踐的後面，固然一定有為一般大眾所未曾了解的觀念作根據、作支持。這種觀念，主要是屬於文化中形成人生態度的價值系統。

『「價值」才是傳統的主要內容。

『人在傳統中才能得到生活的秩序（這裡所說的秩序，不是理論性的；而是指集團生活的秩序而言）。理論性的秩序，必須將異質的東西排斥出去。可是人與人的生活，一定會包含許多異質的東西在裡面。這些異質的東西，經過了大眾的折衷承認，即成為傳統。

『傳統的秩序，乃是個人與群體間得到諧和的秩序。』

——一九六二／四／八，〈傳統與文化〉，《華僑日報》

傳統與文化之十三

『傳統的橫斷面可分為兩個層次。一是「低次元的傳統」，另一是「高次元的傳統」。

『一切風俗習慣，也就是民俗學所研究的範圍，都是屬於低次元的傳統。它有兩個特性。

『第一、它的精神意味比較少，而是多半表現在具體事象之中。

『第二、它是被動的，即是所謂「百姓日用而不知」的。

『因為是具體而又缺少自覺，所以它是靜態的存在。因為是靜態的存在，所以它便富於保守性。有許多是合理的，也有許多是不合理的；有許多是可以適應時代的，也有許多在時代上是落後的。並且它沒有自己批判自己的能力。

『高次元的傳統，則是通過低次元中的具體的事象，以發現隱藏在它們後面的原始精神和原始目的。它常是由某一民族的宗教創教者、聖人、大藝術家、大思想家等所創造出來的。它含有下面幾個特徵：

『第一、它是理想性的。這正如基督教的儀式是低次元的，但它的博愛卻是高次元的，是理想性的。

『第二、因為它必須經過人的自省、自覺而始能發現，所以一經發現，它對低次元的傳統，也一定是批判的。因為是批判的，所以，

『第三、它是動態的。

『第四、它是在不斷形成之中，是繼承過去而又同時超越過去的。』

——一九六二／三，〈論傳統〉，《東風》

傳統與文化之十四

『整個文化的橫斷面，也可以分成兩個層次。一是「基層文化」，另一是「高層文化」。

『基層文化，即指的是社會所傳承的低次元的傳統。高層文化，則是少數的知識份子，對於知識的追求、個性的解放、新事物的獲得、新境界的開闢，所作的努力。

『基層文化是無意識的，是保守的，是以社會性為主的。而高層文化，則是由知識份子個性的覺醒所產生出來的；它是前進的、解放的；常表現為要求自傳統中解放出來。因此，它便常常要求打破傳統。

『無論哪一國的文化，一定都包含這兩個部份。沒有無基層文化的民族，也沒有無高層文化的民族。

『人的要求，常常是相反相成的；人一方面要求進步，一方面又要求安定；一方面要求自由，一方面又要求有規則；一方面喜新，一方面又念舊。

『高次元傳統的作用，是在融合解消兩層文化的衝突，使這兩層文化得到折衷而構成生活上的秩序、諧和的。

『高次元傳統的自覺，必來自對民族、社會、歷史的責任感。這種責任感，才是創造文化最有力的動機，並成為創造過程中的一種規整大方向的權衡力量。』

——一九六二／三，〈論傳統〉，《東風》

傳統與文化之十五

『高層文化與基層文化，一是前進，一是保守；一是重自由，一是重規律；所以二者之間，是要發生矛盾衝突的。

『一個安定而進步的民族，必定要使兩個層次的文化，並進不悖。』

——一九六二／四／八，〈傳統與文化〉，《華僑日報》

傳統與文化之十六

『概略的說，決定人類的命運有兩大基本因素：一是人對物的關係，一是人與人的關係。人對物的關係，是指人對自然的開發、利用，及由科學知識與技術，創造新的生活條件等而言。人與人的關係，是指人與人相互之間，是由協和而得到安定，抑或因矛盾而發生衝突等狀態而言。

『中國文化，常偏倚於人與人的關係；而西方近三百年來，則多偏倚於人對物的關係上面。』

——一九六五／一／十六，〈決定今後國際形勢的基本因素〉，《華僑日報》

傳統與文化之十七

『有力的傳統的形成不僅需要傳承，也須要反抗。但在傳承中要有發展，所以傳承而不至於僵化。在反抗後依然能得到諧和，所以反抗而終不至於橫決。

『在傳承中有發展，關係於知識分子的學力，也關係於知識分子的良心。在反抗後得到諧和，同樣關係於知識分子的學力，更關係於知識分子的良心。

『民族國家的大利大害，是衡斷文化、匯合文化的最高標準。在民族國家大利大害之下，對傳統所作的傳承或反抗，自然不能不使其發展，不能不使其諧和。』

——一九六六／九／十六，〈反傳統與反人性〉，《中華雜誌》四卷九期

傳統與文化之十八

『一個有長久歷史的民族，在國際上認為這一民族的傳統文化，是一錢不值的；難道說屬於這個民族的各個人，在國際上還能值得半文錢嗎？所以用罵自己文化來出風頭的人，他所出的乃是漢奸的風頭。』

——一九六六／十二／一，〈成立中國文化復興節感言〉，《新天地》五卷十期

傳統與文化之十九

『何謂國族主義？國族主義有什麼危險？我都不能十分理解。

『義大利初期的文藝復興，與其說是回歸向古代的希臘，毋寧是回歸向古代的羅馬。古羅馬文化，是他們祖先的文化，是他們的傳統；文藝復興、與義大利人的民族自決、國民精神的自覺，有不可分的關係。

『此一時代潮流，表現在日耳曼民族，則由他們的神秘主義而直通向希臘的形而上學，結果則以路得的宗教改革的形態來完成。

『沒有民族感情，便沒有文化復興的動力。此種感情，乃人類所以能生存、延續、發展的基本條件之一，也是人之所以為人的基本特徵之一。

『此種感情的橫決，必然是來自政治野心家的一時的煽動，而決非來自文化工作者之手。

『對本國文化懷有敵意者，不配談本國文化。』

——一九六七／一／一，〈中國文化復興的若干觀念問題〉，《出版月刊》二卷八期

傳統與文化之二十

『每一個人的生活，是由兩大因素構成的。一是由歷史文化構成生活的格調，一是由衣食住行構成生活的條件。』

——一九七二／八／十八，〈從波蘭現狀看蘇聯在東歐的前途〉，《華僑日報》

傳統與文化之二十一

『在許多文化活動中，必須有以「鑄造人」為任務的文化，成為其他文化的骨幹乃至母體。若以鑄造人為任務的文化失掉了效用，而又沒有另一種新文化來加以代替，則人的價值觀、人生觀，將模糊、混亂而歸於消失，對其他方面的文化活動，也將因人自身「能源」的枯耗而也漸歸於荒廢。於是這一系統的文化及其擔當者，也只有走向沒落的命運。

『站在中國的立場來說，所謂儒家哲學，道家哲學，都是人生教養之學，都是塑造價值觀、人生觀的哲學。但西方的哲學，只是知識活動的特殊形態；對人生而論，它不負教養的責任，因之，也不直接擔負價值、人生觀的塑造、形成的責任；西方文化系統中，擔當人生教養責任的、擔當人生觀的塑造形成的責任的，是宗教。』

——一九七三／四／十一，〈一種文化沒落的信號〉，《華僑日報》

傳統與文化之二十二

『能在生活上生根的倫理道德，必然是自己民族長期積累的倫理道德。』

——一九七三／六／一，〈民主、科學與道德〉，《華僑日報》

傳統與文化之二十三

『精神上作為一個中國人而站起來的基本條件，是支持現實生活的一套集體的價值觀念；是共同的大是、大非、大善、大惡的觀念；是怎樣才可以算得是一個人、怎樣便不能算是一個人的觀念，集體生活之所以能形成，能向前推進發展，必須有這套觀念作紐帶、作動力。

『集體價值觀念之形成，是在歷史中受到長期的考驗，受到長期的浸潤，才慢慢地與每一個人的血肉，不知不覺地連結再一起。此即所謂「文化遺產」。

『有文化遺產，才有集體的價值觀念；才可作為一個中國人而堂堂正正地站了起來。』

——一九七七／二／十七，〈四人幫的主要毒害是在文化學術〉，《華僑日報》

傳統與文化之二十四

『由此可知所謂文化，簡單地說，可分為兩點：一是對人的價值的發現，因而奠定人的地位與生存的方向。一是對人的視野的擴大，把遇見的問題能作關聯性的思考；由這一方面，關連到各個方面去思考；由眼前關連到過去與未來去思考。

『缺乏這種關聯性的思考能力，而只憑一己幾希之明來運用巨大的組織能力，我想這是人類歸於毀滅的重大原因之一。』

——一九七七／四／十九，〈東埔寨可驚的實驗〉，《華僑日報》

傳統與文化之二十五

『傳統文化，怎能和現代連結得起來？我簡單地答覆：

『第一，歷史歸歷史，現代為現代。我們豈能以現代的需求去要求歷史？這對歷史的正確認識，是現代人在知識上與精神上的不容自己的要求，沒有這種要求，只證明某些人的成長有了問題。

『第二，我們應把發展的觀念、實踐的反省，應用到傳統文化中去，即可發現傳統文化與現代，是親合地連結再一起，並給現代生活以力量。最淺顯地說：「不患寡，而患不均」、「貨惡其棄於地」、「力惡其不出於身，不必為己」，為什麼不可發展為社會主義？「舜禹之有天下也，而不與焉」、「民為貴，社稷次之，君為輕」，為什麼不可發展為民主主義？「己欲立，而立人，己欲達，而達人」、「己所不欲，勿施於人」，「主忠信」、「居處恭，執事敬，與人忠」，假使是真有實踐自覺的人，把上面這類的話，對照著自己，能說是不相干的話嗎？

『第三是發揮批判精神，以人格、人民、國家，為批判的標準，則我們在傳統文化中，自然可以看出人類應走的路。』

——一九七七／八／三——十，〈瞎遊雜記之七〉，《華僑日報》

傳統與文化之二十六

『我可以得出這樣的結論，人在發展中的生命，是把過去、現在、將來，融合成一個整體，以形成他的人生的內容。拿「復古」當作罪名，把「思古之幽情」用作諷刺，只證明這種地區人們的生命力，正在乾枯腐爛之中。』

——一九七七／八／二十六，〈瞎遊雜記之十二〉，《華僑日報》

傳統與文化之二十七

『文化是由歷史積累而來，所以稱為「歷史文化」。

「「歷史文化」的意義，一方面是由對自己國家民族之愛，而自然感到對自己的歷史文化有種責任感。另一方面是對自己國家民族所面對的問題，能在反省中發現自己歷史文化所留給我們的教訓。

『談到道德問題時，必然感到道德與「傳統」（歷史）不可分，因為道德必需在傳統中得到實踐、得到證明、得到薰陶教養。』

——一九八〇／三／一，〈鄧小平缺少了些什麼〉，《華僑日報》

傳統與文化之二十八

『包括文、史、哲的歷史文化研究工作，有兩個層次。一是知識的層次，以求真為目的。二是教養的層次，以求善為目的。教養的層次，必植基於知識的層次；而知識的層次，也應歸趨於教養的層次。』

——一九八〇／七／二十九，〈中共能不能改變研究「歷史文化」的態度與方法〉，《華僑日報》

伍之二、儒家文化

儒家文化之一

『儒家不是宗教，但其貫一的精神，能貫注於實際人生之普遍而且長久，非世界任何「一家之言」所能比擬；所以也不妨稱他為中國的非宗教性之偉大宗教。

『儒家之所以能成為中國之基本文化，其原因在社會而不在政治。

『從歷史上看，儒家精神，是浸透、滋榮於社會之中，而委曲、摧抑於政治之下。』

——一九五二／五／一，〈儒家精神之基本性格及其限定與新生〉，《民主評論》三卷十期

儒家文化之二

『蓋儒家之基本用心，可概略之以二。

『一為由性善的道德內在說，以把人和一般動物分開，把人建立為圓滿無缺的聖人或仁人，對世界負責（《論語》：若聖與仁，則吾豈敢。）

『一為將內在的道德，客觀化於人倫日用之間，由踐倫而敦「錫類之愛，」使人與人的關係，人與物的關係，皆成為一個「仁」的關係。

『性善的道德內在，即人心之仁。而踐倫乃仁之發用。所以二者是內外合一（合內外之道）、本末一致而不可分的。』

——一九五二／五／一，〈儒家精神之基本性格及其限定與新生〉，《民主評論》三卷十期

儒家文化之三

『內在的道德性，若不客觀化到外面來，即沒有真正的實踐。所以儒家從始即不採取「觀照」的態度，而一切要歸之於「篤行」的。

『要篤行，即須將內在的道德性客觀化出來。於是儒家特注重「人倫」、「日用」。

『人倫是人與人的正常關係；日用是日常的生活行為。

『孝弟乃儒家學說之總持。

『以仁為中核之人性，內蘊而不可見，可見者乃不期然而然的愛親敬兄之情。在此等處看得緊，把得牢，於是人性之仁乃有其著落、有其根據，而可以向人類擴充得去。』

——一九五二／五／一，〈儒家精神之基本性格及其限定與新生〉，《民主評論》三卷十期

儒家文化之四

『儒家內在的道德實踐，總是歸結於人倫。而落到現實上的成就，大體是從三個方面發展，一為家庭，二為政治（國家），三為「教化」（社會）。

『儒家精神生根於家庭之中，於是家庭成為中國社會的生產與文化合一的堅強據點。

『中國社會，遇有重大災害威脅的時候，大家可以退保於家庭，再環繞著一宗族，以形成災害的最後防禦線。等到災害減輕，即可由家庭宗族中伸出來，恢復其生產與文化的社會完整性。

『但因歷史條件的限制，儒家的政治思想，儘管有其精純的理論；可是，這種理論，總是站在統治者的立場去實施；而缺少站在被統治者的立場去爭取實現。因之，政治的主體性格始終沒有建立起來，未能由民本而走向民主。

『有人懷疑儒家思想是否與民主政治相容，這全係不了解儒家，且不理解民主之論。

『凡在思想上立足於價值內在論者的，即決不承認外在的權威。今日歐洲的民主主義，係奠基於十八世紀之啓蒙運動。而啓蒙運動之思想骨幹係自然法。自然法思想導源於羅馬，羅馬之此一思想淵源則來自希臘末期之斯多噶派。繼自然法思想而起之功利主義，乃資本主義與民主主義在英國結合之特殊產物；美國傑佛遜們的民主運動，即僅受自然法之影響而未受功利主義之影響。故美國之民主主義，更富於理想性。在十八世紀以前，由馬丁路德之宗教改革而來的良心之自由，其對近代民主之影響，無人可加以否認。而路得實受有德國神祕主義之啓示。

『儒家的政治思想必歸結於民主政治，而民主政治之應以儒家思想為其精神之根據，凡態度客觀的好學深思之士，必不會以此為附會之談。

『孔子之精神，實係偉大宗教家之教化精神。毫無憑藉，一本其悲憫之念，對人類承擔一切責任，而思有以教之化之。

『孔子對於現實政治，皆採取一種可進可退之隨緣態度，如曰「用之則行，舍之則藏」。「邦有道則現，邦無道則隱」。

『但一談到教人的這一方面，則「教不倦」常與「學不厭」並稱，與「學不厭」同其分量。「有教無類」的對於人類的信心，對於人類的宏願，真可含融一切有生而與其同登聖域。

『從這種站在社會上來對人類負責的精神，才真顯出「人倫」觀念之基本用心，與其含弘光大。』

——一九五二／五／一，〈儒家精神之基本性格及其限定與新生〉，《民主評論》三卷十期

儒家文化之五

『中國文化，一憂患之文化也。《大易》乃吾族由自然生活進入人文生活之紀錄，故實吾族文化之根源。《繫辭》曰：「作《易》者其有憂患乎？」又曰：「明於憂患與故。」故乾坤之後，受之以屯蒙。屯蒙者，憂患之象也。乾坤既以易簡知天下之險阻；而屯則「動乎險中」，蒙則「山下有險」，「君子以果行育德」。屹立於憂患之中，不畏怖墮退，且即挺身以擔當一世之憂患而思有以解消之，于以保生人之貞常、迄民族之命脈，中國文化之所凝鑄住而綿續著，蓋在乎此矣。

『余以為中國憂患之文化，有宗教之真正精神，而無宗教之隔離性質；呼喚於性情之地，感與於人倫日用之間，使人得互相撫其瘡痍，互相其敬愛，以消彌暴戾殺伐之氣於祥和愷弟之中；則人類自救之道，意在私乎！意在私乎！』

——一九五四／七／三十，〈憂患之文化〉，《中央日報》

儒家文化之六

『人格尊嚴的自覺，是解決中國政治問題的起點，也是解決中國文化問題的起點。

『一旦能自覺到其本身所固有的尊嚴，則對於其同胞，對於其先民，對於由其先民所積累下來的文化，當然也會感到同是一種尊嚴的存在。在人類共有的人格尊嚴的地平線上，中西文化才可以彼此互相正視、互相了解。再互相正視、互相了解，吸收西方文化。

『我不認為在買辦式地精神狀態下，甚至是在乞丐式地精神狀態下，能有效地吸收世界文化以發展自己的文化。』

——一九五七，〈自序〉，《學術與政治之間乙集》，中央書局（台中）

儒家文化之七

『弟近講中國宗教，由敬天思想，以迄禪宗、淨土，發現中國文化性格總是要求由外向內斂之之傾向，由宇宙論轉向人性論之傾向，甚為明顯。在孔子以前之敬天思想，係由宗教精神（外在的）向人文精神逐漸下降。至《詩經》、《爾雅》時代，此外在天的觀念，已完全墮落，到孔子而人文精神始真正生穩根。孔子係由道德的人文精神上昇而重新涵攝宗教精神，重新肯定敬天思想。儒家中之宗教精神，只是由內在的道德精神超越化。孔子之「知天命」，實系由外落實內向，再由內超出之大轉捩點。由外向內的落實，至孟子之性善說，始真歸根到底。孟子由盡心、知性、知天，內在而超越之意更顯。』

——一九五七／十二／十一，《徐復觀致唐君毅佚書六十六封》，No. 35

儒家文化之八

「「天命之謂性」，正式把性和命結合在一起。

『命是代表道德普遍性的一面；性是道德成就在各個人身上的，即是道德的普遍姓，在具體之人中間的實現，所以性是代表道德的個別性、特殊性的一面。

『僅說命而不說性，則道德與具體地人之間尚有一個距離；使具體的人，向上追求，以填補這個距離，將會只注意到普遍性的一面；用現代的術語說，將走向抹煞個性的全體主義。

『相反的，若只強調性，而不連上命，則所謂性，將只是一種具體地、生理地存在，在生理個體的相互之間，將發現不出一條真正可靠的通路因而會成為閉鎖性地個人主義。

『真正道德地善，必須從個人通到群體中去，亦即必須由性通向命。性與命融合在一起，即是普遍與特殊群體與個體、形上與形下，融合在一起的境界；這是中國人性論不同於西方人性論的一大特色。』

——一九六〇／七／十六，〈中國古代人文精神之成長〉，《民主評論》十一卷十四期

儒家文化之九

『禮與義，是兩個有獨立性的德目。但中國把「禮義」聯為一詞，已成為傳統文化中的一個極普遍的觀念。

『禮是禮節，指的是人生、社會、政治，各種合理生活行為的形式。義是正義，指的是各種行為合於客觀原則及大眾利益的內容。

『禮是行為上合理的形式，義是行為中合理的內容。沒有合理內容的形式，那種形式會流於虛偽、僵滯；有權力、有聰明的人，便藏在這種虛偽僵滯的形式後面，利用它作束縛人性、榨壓大眾的護身符；「禮教吃人」的呼聲，並不是完全沒有道理。

『禮的本身是應適應時代而變遷的，所以《禮記》說：「禮時為大」。失掉了以正義作內容的禮，是應當否定的；以正義為內容的禮，卻不應當否定的。禮不能離開義而孤立存在的。

『義是行為中合理的內容。有形式而無內容的弊害，容易為一般人所察視。但有內容而缺乏合理形式的弊害，卻不容易為一般人所察覺。其原因不外一般人以為只要內容合理，形式便自然合理；或者以為只需計較內容，不必計較形成，於是覺得義可以離開禮而孤立的存在。我稱這種沒有禮的正義，是「裸體的正義」。裸體的正義會得到與正義相反的結果。』

——一九六一／六／二十七，〈看南韓變局〉，《華僑日報》

儒家文化之十

『中國的人文主義，它是以中國的傳統文化作它的內容。我們簡單的把它表達出來，即是宗教上所說的山上垂訓的黃金律。

『這種道德的內容，在中國文化中，是要求在每一個人的生命中間找到它的根據，要求在每一個人的生命中間得到它的證明，並且要每一個人用他自己的力量，來加以實踐，加以實現。

『中國的人文主義和西方的人文主義，最大的不同點，是在中國的人文主義的本質上，在它不受到宗教的排斥時，便沒有和宗教對立的問題。』

——一九六二／二／一，〈一個中國人文主義者所了解的當前宗教（基督教）問題〉，《人生》二十三卷六、七期合刊

儒家文化之十一

『歷史中每經一次大苦難，儒家思想，即由伏流而湧現於知識份子觀念之間，有如南北朝後的王通、五季後的宋代理學、元初殘殺後的宋代理學的復興、明亡後的顧亭林、黃梨洲、李二曲、陸桴亭諸大儒的興起，這都是經過苦難後而重新湧現的例子。

『歷史中凡遇到外患時，一定湧出民族思想，而收其效於八年抗戰。

『孔子在經濟上主張均平的原則，孟子繼之而提出井田的理想，於是歷代在社會大變亂中，幾無不提出解決土地問題的口號，而最後集結為孫中山先生的平均地權。』

——一九六二／八／十四，〈中國文化的伏流〉，《華僑日報》

儒家文化之十二

『以「心」為道德的根源，以「生」為一切價值的基礎，正是中國文化的一體兩面。』

——一九六五／九／十，〈西方聖人之死〉，《華僑日報》

儒家文化之十三

『任何支派的文化，一定是在否定、肯定的反覆中傳承發展下來的。

『老子對在他以前的傳統文化是採否定的態度，孔子則是採取肯定的態度。但老子在否定中卻肯定了「聖人無常心，以百姓之心為心」的由周初所開始的「天視自我民視」的大統。

『孔子在傳承中卻否定了封建社會中的階級限制，把代表階級意義的「君子」「小人」，轉變為「人格意義」的「君子」「小人」。』

——一九六六／九／十六，〈反傳統與反人性〉，《中華雜誌》四卷九期

儒家文化之十四

『中國的倫理思想，不是在神話中找根據，而是在人自己生命中求得根據；所以只能對科學有所增益，決無所障礙。講宋學的曾國藩、講中學為體的張之洞，當他們大力從事科學事實上的移植時，從不曾在觀念上感到有半點扞格。即是這種原因。』

——一九六六／九／十六，〈反傳統與反人性〉中華雜誌》四卷九期

儒家文化之十五

『從大的方面說，凡是真正的儒家，都不能為一般人所了解，而常成為四面不靠岸的一隻孤獨的船。孔子說：「君子羣而不黨」；又說「君子周而不比」；又說「君子之於天下也，無適也（不專聽從任何人），無莫也（不專拒絕任何人），義之與比（惟合於義者則從之）。」上面的幾句話，簡單說明了儒者向一切人類，敞開自己的心量，而自然篤厚於自己族類之愛。但人世間則只有「黨」而無「羣」；只知道「比」而不知道「周」；於是要求只「適」於其黨，而「莫」於非其黨。及發現一個真正儒者的心靈，只能屬於人類，只能屬於自己的族類，而不屬於任何的黨時；並且發現泰山巖巖的義的氣象，使人世間各種威脅利誘之技，毫無所施時，自然也會從各方面來加以拒斥、打擊。則熊先生之不能被世人所了解，正是儒家的本分；也正是儒家所以能「參萬世而一成純」的本領。』

——一九六八／七／十一，〈悼念熊十力先生〉，《華僑日報》

儒家文化之十六

『中國文化，乃立基於良心之上。良心的作用，乃是當下而直接的照察、判斷。這種照察、判斷，也構成某些觀念，有如仁、義、禮、智等；但這些觀念，必須扣緊良心，印證良心，乃使有其意義。亦即是要在良心照察之中始有其意義。不應把它當作純觀念來處理。在良心照察之下，當然有是非的判斷；但是者是人，非者也是人。既都是人，所以曾子便說「如得其情（得犯罪之實），則哀矜而勿喜」。以哀矜之心處置罪人，自然要謹慎，自然反對殘酷。』

——一九七三／一／二十，〈觀念、良心——森恆夫的自殺〉，《華僑日報》

儒家文化之十七

『中國人傳統地經濟生活規範，可用「勤儉」兩字加以概括。中國人對於節儉，不僅是匱乏之經濟條件下的經濟理由，而且是報應觀念下的道德理由。

『愛惜物力，中國稱這是「惜福」，多愛惜一分物力，即是多愛惜一份「福氣」，把愛惜下來的福氣，留給自己的晚年和子孫享受；晚年或子孫所享的福氣透支了，必然受到以困苦來填債的報應。』

——一九七三／十／二，〈經濟上的循環報應〉，《華僑日報》

儒家文化之十八

『儒家將「親親」用到政治上，雖然可以用尊賢加以補救，但實則其害無窮。』

一九七四年三月十七日致王曉波函

——王曉波〈感念與哀思〉，《徐復觀教授紀念文集》，時報出版社，一九八四

儒家文化之十九

『仁是一種精神，義是一種準則，禮是仁與義在實踐時的一種與精神準則相適應的形式。《論語》「義以為質，禮以行之」，「子溫而厲，恭而安」。這是就個人言禮的一面。由合理的生活形式，使生活得到收斂，精神得集中（敬），私人的慾望（私慾），在收斂、集中得到澄汰。此時的仁、義便可呈現出來，此即所謂「由外以制其中」，這是言禮的又一面。在收斂、節制的生活中，可以與他人得到和諧的關係，所以在個人修養中，便含有社會性（讓）。例如「併坐不橫肱」之類。這也是言禮的一面。而三方面是可以貫通的。

『說到禮，一定是有形式的。在純個人的形式中，是「居處恭」，不必求得社會的承認，但絕不可能有反社會的意義。在與人相涉的形式中，便必須經過社會的共同承認，此時的禮，即是善良風俗。「君子居鄉善俗」，即是以禮影響、改變命，如得到集體生活的承認。

『因為禮有形式，所以在社會性方面，不是一朝一夕可以實現，實現後，也不是一下子可以取消。「禮從宜」，「禮，時為大」。可以，也應該隨時改變；但有的可以個人去改變，有的並非個人之力一下子所能改變，於是有的在既成形式中發現其精神，有的也只能隨緣順俗。同時任何人也不能完全破除既成繼承的形式傳統。孔子是主張因、革、損、益的（子張問十世），於是有的是因襲，有的要改革，有的要損益。』

一九七四年三月十七日致王曉波函

——王曉波〈感念與哀思〉，《徐復觀教授紀念文集》，時報出版社，一九八四

儒家文化之二十

『禮的內容不斷發展。到孔子時，已包括了宗教之禮、政治之禮、社會之禮、個人行為規範之禮。孔門言禮，主要從個人行為規範上說，所以才有「立於禮」、「不學禮無以立」的話。樊遲問仁，子曰：「居處恭，執事敬，為人忠」，這就是「復禮」。仲子問仁，子曰：「出門如見大賓，使民如享大祭」，這就是復禮。所以，當「顏淵請問其目」時，便說「非禮勿言」……』

一九七四年三月二十七日致王曉波函

——王曉波〈感念與哀思〉，《徐復觀教授紀念文集》，時報出版社，一九八四

儒家文化之二十一

『大家談中國道德問題，把兩個層次混同了。一是主觀層次，一是主體層次。道德發自主體，道德行為是由主體發出來。主觀與主體是很有分別的。很清楚的，「主觀」是由主體來克制的，「克己復禮」，「克己」就是克制主觀，由克制主觀，就見到道德主體的作用。

『若說中國傳統沒有客觀標準，是不正確的。孟子談義，政治上，統治者的義，是要和人民站在一起，是代表人民。孟子要求與民同樂，統治者的利益和人民的利益互相一致，此之謂「義」，這當然是客觀標準。

『站在一個人來講，能克制自己私慾，尊重別人，也是有客觀標準。惻隱之心，人皆有之，當然是客觀標準。』

——一九七六／五，〈從天安門事件看中國問題〉，《明報月刊》十一卷五期

儒家文化之二十二

『朱元晦以「虛、靈、不昧」四個字，說明在人身之內的心的作用。

『因為虛，所以人類能接受各種知識。

『因為靈，所以人類能作古今中外的價值判斷。

『因為不昧，所以人類能從各種黑暗混亂中透出來，以把握事物的真相，繼續發揮是非之心於艱難困苦中。』

——一九七六／七／十五，〈用三句話作判斷〉，《華僑日報》

儒家文化之二十三

『數十年來對中國儒家批評之一是重人治而不重法治，使政治不能在鞏固的軌道上運行。但儒家實際是人治、法治並重的。

『不過，儒家乃至整個中國文化，在法制上留下最大的漏洞，一是專重人民的好惡，但如何能使人民表達自己的好惡，並使統治者不能不加以尊重，沒有想出辦法來。

『另一是政權究應以何方式，得以和平轉移而不亂，也是兩千多年來束手無策的。』

——一九七六／十／二十六，〈我能說點什麼？〉，《華僑日報》

儒家文化之二十四

『由孔子的偉大人格所透出的語言，有兩種特性。

『一是在群體生活的連帶感中，建立個人的行為規範。

『一是在現成而具體的指點中，顯現出無限性的精神境界。』

——一九七六／十一／七二十三，〈面對時代淺談孔子思想〉，《華僑日報》

儒家文化之二十五

『但實際，以人文為主的中國文化，在佛教進入中國而得到發展以前，根本不曾出現過唯心論。孔子只從「四時行焉，百物生焉」去認識天。天的道德性，完全是由人對道德的要求與伸長所投射上去的。老子的道，很難作唯心、唯物的「一義性」的解釋。孟子莊子所強調的心，指的是人的身體之內的「方寸」之心，與西方所謂唯心論的心，相差十萬八千里。』

——一九七七／八／三——十，〈瞎遊雜記之七〉，《華僑日報》

儒家文化之二十六

『孝悌，是發乎人性的自然；賴它而團結家庭，安定社會。平時由此而擴充為人類之愛，亂世常發而為冒險犯難，為骨肉作死亡中的掙扎。』

——一九七九／二／十一十四，〈文化賣國賊〉，《華僑日報》

儒家文化之二十七

『現代談中國哲學史的人，幾乎沒有人能從正面談孔子的哲學，更沒有人能從《論語》談孔子的哲學；這些先生們，心理看不起《論語》，認為裡面形而上的意味太少，不夠「哲學」，只好從戰國中期前後成立的《易傳》下手；因為《易傳》中有的地方開始以陰陽談天道，並且提出了「形而上之謂道」的道理，這個道才勉強有哲學的意味。

『對中國文化用功很勤，所得很精的哲學家，有如熊師十力，以及唐君毅先生，要從具體生命行為，層層向上推，推到形而上的天命、天道處立足，認為不如此，便立足不穩。形而上的東西，一套一套的有如走馬燈，在思想史上，從來沒有穩過。

『所以從宋儒周敦頤的〈太極圖〉說起，到熊師十力的《新唯識論》止，凡事以陰陽的間架所講的一套形而上學，有學術史的意義，但與孔子思想的性格是無關的。

『我認為孔子表現在《論語》中的思想性格，合不合希臘系統哲學的格套，完全是不相干的。孔子在人類文化史中的地位，不因其合西方哲學的格套而有所增加，也不因其不合西方哲學的格套而有所減少。』

——一九七九／九／二十八，〈向孔子思想性格回歸——為紀念民國六十八年孔子誕辰而作〉，《中國月刊》一卷八期

儒家文化之二十八

『中國文化，是以儒家為主流，以道家為副流。我從儒家思想中試提出「剛毅忠恕，己物雙成」的人間像，從道家思想中試提出「淡泊寧靜，與物為春」的人間像。

『剛的內容，是來自超過了私人慾望，以堅持社會是非正義的剛正、剛直之人。

『毅是擔當責任，百折不回，貫徹始終的精神。

『「盡己之謂忠」；竭盡自己的力量來做自己的事，這是忠的一面。竭盡自己的力量去承受他人的委託，這是忠的另一面。

『「推己之謂恕」。把自己的要求，推擴到他人身上去想想；推擴到社會大眾身上去想想，此之謂「推己」。「己欲立，而立人；己欲達，而達人」。這是恕的一面。「己所不欲，勿施於人」、「施諸己而不願，亦毋施於人」，這是恕的消極的一面。

『剛毅忠恕，是中庸智、仁、勇三達德的實踐。

『諸葛亮所說「非淡泊無以明志，非寧靜無以致遠」的兩句話，出於淮南子；我感到這兩句話表達的道家消極中的積極性，與老、莊原旨相合。「與物為春」出於莊子，我認為這是道家超世而未嘗離世、且進而與社會與自然得到諧和，共其生命的最高而又最實的境界。

『淡泊，我以為就個人生活的物質享受而言。

『寧靜是指個人不被名利之念所擾動的精神狀態而言。

『領受自己生命的喜悅，同時即感到與社會、自然是同一生命，同一喜悅，此之謂「與物為春」。

『我很欣賞漢代許多思想家，以道家思想安頓現實生活；以儒家思想擔當社會政治的責任。』

——一九八一／九／一，〈中國文化中人間像的探求〉，《百姓月刊》七期

伍之三、西方的思維

西方的思維之一

『尼采在《權力意志》中所下的定義：「虛無主義是意味著什麼呢？是至高價值成為無價值。是沒有目標。是對於『為了什麼』也沒有答覆。」至高價值成為無價值即是人生觀的崩壞，即是世界觀的崩壞。沒有人生觀、世界觀的人，乃是喪失了生活目標、生活意義的人。

『自文藝復興以來，一直到啓蒙運動，歐洲的許多市民階級，要求由「神的支配」，轉而為「人的支配」；這便種下了虛無主義的種子。不過此時的市民，對於自己的認知理性，抱有無限的信心；他們的人生目標、人生意義，都安放在由理性所成就的科學技術進步之上。

『科學技術進步的結果，是「機器的支配」，代替了「人的支配」。

『機器固然給人以與過去不同的生活方式，但並不會給人以目標，給人以意義，因而並不能由此呈顯出新的價值；把「上帝引退」、「機器無情」，加在一起，歐洲的虛無世紀的訊號，便由尼采口中正式發出了。

『把虛無主義當作是一種解放，即是以對歷史文化價值的否定，為向新價值追求的解放。

『否定一切價值、否定一切意味，而只是離開自然、離開社會、離開歷史，抱著一束孤獨而幽暗的生命，面對著不可測度的深淵。今日的所謂實存哲學、現代藝術、邏輯實證論，都是這一絕望的虛無主義的變貌。

『老、莊的虛無，是向上昇的虛無，即是老、莊否定了許多現實的人生價值，如仁、義、禮、智等，但他們是由此而肯定在仁、義、禮、智之上的「常道」的價值。因此，他們的否定，同時即是他們高一層價值的肯定。有了這高一層的價值的肯定之後，再落下來，依然要肯定由高層價值加以洗鍊後的現實價值。』

——一九六一／六／九，〈危機世紀的虛無主義〉，《華僑日報》

西方的思維之二

『達爾文的貢獻，可分為兩點：第一、他提供了「進化」的確切證據，因而確定了「進化」的觀念。第二、他以「自然淘汰」，作為進化的確切法則。

『自然淘汰說，首先把白色人種征服有色人種的行為加以正當化。其次，法西斯，獨占資本家，對中小企業的吞併，也同樣在達爾文的學說中得到了根據。』

——一九六一／十／一，〈愛與美〉，《華僑日報》

西方的思維之三

『康德雖強調動機中「善意」的重要性，但他還沒有扣緊仁愛方面來作為道德的內容。「不忍人之心，人皆有之」，這是無間於古今中外，而可當下加以驗證的。但康德必須用二律背反的方法，費這大的思辨力量，以證明道德理性的存在。這是說明西方文化的習性，不把人當下可以證驗的道德事實加以承認而肯定其價值；卻必須通過理智思辨的形式，以建立與事實有距離的概念，在概念上去辯論有無是非。於是每一個人所具有的仁愛之心，不能在學術文化取得其應有之價值地位，而退貶於無足輕重之列，致使人性中最寶貴的這一部份，被抑壓泯沒，不復在人生社會中發生應有的作用。』

——一九六一／十／十六，〈當前思想家的任務〉，《華僑日報》

西方的思維之四

『當代科學史的權威薩頓，在其大著《古代中世科學文化史》的序章中指出：希臘文明的失敗，不是缺少了知性，而係缺少了人格、道德。歐洲中世紀的停滯不前，是只強調了神的仁愛，而缺少了對現世知識的活動。結論是「沒有仁愛的知識，和沒有知識的仁愛，是同樣無價值。是同樣危險的」。

『中國文化的缺陷是強調了仁愛而忽視了（不是反對）知識；近二百年來，卻連傳統中的仁愛精神也失掉了。西方文化，則成就了知識，而忽視了仁愛。

『知識成就科學，科學的自身是沒有態度的。科學對人類的造福或貽禍不是決定於科學，而是決定於人們所給予科學發展、運用的方向。

『使科學的方向，不向殺人方面發展，而向造福人群方面發展，這才是當前思想家的真正任務。而此任務的實行，是要在西方文化中，建立仁愛精神在文化中的主導地位。』

——一九六三／六／十八，〈宗教鬥爭與東南亞前途〉，《華僑日報》

西方的思維之五

『自由主義，是使歐洲中世紀進入到現代的脫皮換骨的基本精神力量。它達成此一任務，大體上經過了三個階段。

『第一個階段是打倒宗教的權威，以肯定現世的價值、肯定理性的價值；這裡面並含有對私人財產觀念的開放，及對知識開放的兩大意義。

『第二階段是打倒貴族階級，以完成近代民族國家的統一，掃除資本主義初期所遇到的特權勢力的障礙；並支持從商業資本主義所開始的各國對海外原料、市場的掠奪。這裡面實含有強烈地國家意識、民族意識在裡面。當時主要是向羅馬教廷的統治而鬪爭。

『第三階段是打倒中央集權的專制政治，以法國大革命為標誌，制定憲法，保障各種基本的自由權利。

『自由主義在亞、非範圍之內，卻好像成為一種變種。

『首先，自由主義有掃蕩封建社會的力量。但亞、非的實力人物都帶有封建殘餘的色彩，若將就此一現實，便等於背棄了自由主義。

『其次，亞、非的國家獨立必需從西方的殖民主義中得到解放。西方為了保持既得利益、或者為了滿足他們先進地優越感，於是有形無形之中，厭惡各國中的民族主義；並進而培植沒有民族主義的「自由份子」。

『這樣一來，在西方本來完成過民族使命的自由主義，在亞、非卻成為兩相對立的東西。

『這又是左右為難的問題。

『以神話神跡為主的宗教，因自由主義而正在歐洲退潮、換骨的時候，卻正是西方的神父們、牧師們，大量向亞、非地區宣傳其神話、神跡的時候。尤其是到了第二次世界大戰以後，美國人士實際是把他們所宣揚的自由主義，和以神話、神跡為中心的宗教，結合在一起，以塑造亞非人中的「自由人士」。這一奇怪的結合，更使亞、非的所謂「自由人士」，成為對內排斥，對外供奉的人士。』

——一九六五／六／九，〈自由主義的變種〉，《華僑日報》

西方的思維之六

『西方文化的習性，不把人當下可以證驗的道德事實加以承認而肯定其價值；卻必須通過理智思辨的形式，以建立與事實有距離的概念，在概念上去辯論有無是非。

『於是每一個人所具有的仁愛之心不能在學術文化上取得其應有之價值地位，而退貶於無足輕重之列。

『當代的思想家們，對人生問題，我希望不必再玩弄什麼概念的把戲，而只抓住人心當下一念所自然呈顯出來的不忍人之心，亦即是仁愛之心，確定其為人生根本價值之所在，並承認這是一切價值之價值。』

——一九六一／十／十六，〈當前思想家的任務〉，《華僑日報》

西方的思維之七

『理智思辨活動的過程，乃是一種抽象的過程。在抽象的過程中，必須將異質的東西排斥出去，以保持概念所必不可少的同一律。因此，任何由思辨而來的思想，都只能「如耳目鼻口，皆有所明，不能相通」。使耳、目、鼻、口皆得其用，以構成人體統一活動的，必有待於高一層次的心的作用。』

——一九六六／十一／十二，〈三民主義思想的把握〉，《國父百年誕辰紀念文集》第二冊

西方的思維之八

『個人主義，是以追求個人權利、滿足個人慾望、為社會動力的主義。在此一主義之下，解放了中世紀所長期抑壓的個性，因而也解放了中世紀所長期抑壓了的個人能力。

『個人主義的進步性或者可以從下面三點來加以了解。

『第一，它是歷史階段的產物。沒有中世紀對個性以抑壓，便不一定有個性解放的特別意義。

『第二，每一個人，一生下來都是個人主義者。近代個人主義的意識乃在於個人主義的大眾性、社會性。失掉了大眾性、社會性的個人主義，便不是作為近代進步動力的個人主義。

『第三，近代的個人主義者有一個基本假定，即是各個人的權利慾望的追求、滿足，由「有一隻看不見的手」，把大家連結起來，成為社會共同的權利慾望的追求、滿足，因而個人與個人之間，保有競爭中的調和。

『所謂「看不見的手」，乃是與權利相並行的義務觀念。

『資本主義，是個人主義下的自然產物。獨占資本的形成，也是資本主義的自然發展。獨占資本形成以後，大資本家成了經濟王國中的統治者，成為社會的特殊階級。社會上一經出現了固定的特殊階級，便會只有特殊階級的個人主義。

『沒有社會大眾的個人主義，社會大眾便感到失掉了個人的自由。』

——一九七一／七／十一，〈個人主義的沒落〉，《華僑日報》

西方的思維之九

『馬克思主義的特徵不在唯物論，而在以階級鬥爭為歷史發展唯一法則的唯物史觀，唯物論與唯物史觀，是屬於兩個不同的範疇，因而兩者之間並無必然的關係。

『認為講唯物論的，在階級鬥爭中一定站在被壓迫者的一面，講唯心論的在階級鬥爭中一定站在壓迫者的一面，這在歷史上，完全是誣附之談。對這種誣附之談加以彌縫的，是黑格爾的辯證法，但他們開始對辯證法，主要是運用在哲學上面，尤其是唯物史觀上面。

『不過十九世紀後期，自然科學的影響力，已開始取代傳統哲學的地位；於是恩格思晚年，寫出一部「自然辯證法」來，便感到他們的思想系統，把自然科學也囊括在內，因而更偉大、更科學化了。尤其是對根本不瞭解自然科學的人，在「科學世紀」中，也能給予精神的陶醉，覺得我雖然不研究自然科學，但掌握到了自然科學的最高法則。我自己有一段時間正是如此。

『有兩點可以肯定指出的是；一切偉大的科學成就，都不是通過自然辯證法得來，而世界上一切先進國家的科學訓練，都不曾夾雜有自然辯證法在裡面。

『以自然科學的方法作哲學研究的方法，在二十世紀初，有這種風氣。其結果，出現了「科學的哲學。」但科學有自己的反省，有自己的統合，有自己的認識論，有自己的價值觀，無待哲學來代勞。所以順著此一方向下來，便出現哲學「到底還可不可以存在」的危機。其歸趨，有的回到形上學，有的轉到人生價值觀的領域。』

——一九七八／八／二十八，〈中共的新纏足運動〉，《華僑日報》

西方的思維之十

『共產主義以階級鬪爭為基點，對歷史文化，有一套預設的教條。

『重要的教條是在思想上分為不是唯心便是唯物。歷史上分為奴隸、封建、資本主義、社會主義四階段。社會主義以前各階級中，分為剝削與被剝削兩大階段。每一個人，必然地，作出適應於歷史階段及階段成份的言行。而唯心唯物，則貫穿於歷史個階段中，扮演反革命與革命的角色。』

——一九八〇／七／二十九，〈中共能不能改變研究「歷史文化」的態度與方法〉，華僑日報》

伍之四、中西文化

中西文化之一

『近年來許多人提出張之洞的「中學為體，西學為用」的口號來加以訕笑。

『這裡的所謂中學，實際是指中國文化的價值系統而言；所謂西學，實際是指不含有價值觀念的純科學而言，則張之洞的話，是有道理的。』

——一九五八／九／十六，〈反集權主義與反殖民主義〉，《民主評論》九卷十八期

中西文化之二

『我應首先提出一個大逆不道的主張，即是「中學為體，西學為用」。

『文化可以分為兩大系統：一是知識科學的系統，這是無顏色的世界性的文化。一是價值的系統，這是有顏色的（有態度、有傾向等）、是世界性而又同是民族性的（有人把二者作絕對性的分開，根本是錯誤的；只要想到莎士比亞是英國地，同時也是世界地……等等，便慢慢可以明瞭。此處不能詳講）文化。

『大體上說，知識系統的文化，是價值系統文化完成自己的工具、手段；而價值系統的文化，則是知識系統文化所要達到的目的，及其主宰。張之洞所說的「中學」，實際是指在我們中國歷史中所形成的價值系統的文化而言；他所說的「西學」，實際是指西方近三百年來所成就的科學、技術，即知識系統的文化而言。

『近代，卻可以說西方是以基督教為體，以科學、智識為用。印度則是以印度教為體，以科學、智識為用；蘇俄則是以共產主義為體，以科學、知識為用。

『中國有五千年歷史所形成的價值系統的文化，為什麼不可以中學為體，西學（科學、知識）為用呢？』

——一九六二／六，〈我看大學中文系〉，《東風》二卷七期

中西文化之三

『自覺可以表現在認識方面，可以表現在道德方面。

『中國人過去常以為有了道德即有了知識；而西方則常以為有了知識便有了道德。

『西方在近幾十年的努力探索中，對道德與知識的個別範疇，有了更明確的觀念。』

——一九五二／五／一，〈今日中國文化上的危機〉，《東風》

中西文化之四

『希臘求知的動機為閒暇中對自然界之驚異而追問究竟，這樣便成為其哲學中之宇宙論。由宇宙法則之發現而落實下來便成為科學。『中國之學術思想，起源於人生之憂患；憂患是追求學問的動機與推動力。『西方主要是對於自然界的知解，而儒家主要為自己行為的規範。』

——一九五二／五／一，〈儒家精神之基本性格及其限定與新生〉，《民主評論》三卷十期

中西文化之五

『五四係以真誠的愛國感情而開始的。則在此運動中，應拿出中國的光明一面，以批評發生流弊的一面，因而迎接西方的民主與科學，這才適合於歷史上一般文化轉進的常軌。

『可是當時的領導人物，多心浮性急，恨不得把中國的東西一鋤挖盡。正如太平天國在民族口號之下，只留下軀殼的「長毛」，卻去掉民族精神的文化，其無結果可以說是命定的。

『他們承西方經驗主義的末流，絕對排斥理想主義，認為這是虛妄而騙人的東西。但歷史上，凡是發生影響的思想，都必以某種形式包含理想主義的成份。』

——一九五二／五／一，〈儒家精神之基本性格及其限定與新生〉，《民主評論》三卷十期

中西文化之六

『中國對于自然科學之嚮往，乃至在實際上稍有成就，皆出之孔孟之徒，如曾國藩、李鴻章、張之洞等，其事蹟皆斑斑可考。』

——一九五二／十／五，〈當前讀經問題之爭論〉，《民主評論》三卷二十期

中西文化之七

『在希臘文化中，根本沒有浮出可以當作「人類」解釋的「人」的觀念。希臘人對於非希臘人及對於非自由人，不把他們當作與自己相同的人來看待。

『在西方，基督教對於異教的排斥，或且過於希臘人對於非希臘人的排斥。這種文化傳統，深深影響到西方文化向外的侵略性格、殖民性格，也影響到他們自身文化的安定性。

『中國文化到了孔子，已奠定了人性平等的觀念，因而也奠定了普遍性底人的觀念。孔子對他的學生子張說：「言忠信，行篤敬，雖蠻貊之邦，行矣。言不忠信，行不篤敬，雖州里，行乎哉。」這是說做人的態度抵有一個，由做人的態度所得的效果也只是一般，這是無間於夷夏的。

『在他的心目中，只有文化問題、教育問題，而沒有種族的問題。』

——一九五七／七／一，〈中國文化的對外態度與義和團事件〉，《民主評論》八卷十三期

中西文化之八

『西方宗教與科學的鬪爭，是來自宗教思想對科學範圍的侵入。後來隨宗教之退出科學範圍，這種衝突即告解決。

『文化的真正衝突，是來自價值系統的文化；文化地殖民主義，也是來自價值系統的文化。

『與科學作了長期而深刻鬪爭的基督教，今日不曾認為它妨礙了科學。

『今日卻認為科學只有打倒中國文化之後才能建立起來。

『這除了說是在不知不覺中，精神殖民地化了以外，還有什麼方法能加以解釋呢？』

——一九五八／九／十六，〈反極權主義與反殖民主義〉，《民主評論》九卷十八期

中西文化之九

『有的人提出「知識就是道德」，以為只要求知識，不必講道德。中國文化，主要是道德系統的文化；而他們說這種話的目的，正是要人不必講中國文化。

『知識與道德，是有密切關係。然而，知識與道德能成為正比嗎？事實上有知識的人，不一定有道德；有道德的人，並不一定有很多的知識。他們實際還是要否定道德；最低限度，他們要把道德這一門學問，從現在學問的範圍中，驅逐出去。

『西方有些人這樣的主張，是因為這不是在實驗室中或邏輯中實徵得出來的。所以，在西方人的地位的動搖，是來自某些實證科學者的誇張或性急。而在中國，人的地位的動搖，都主要是由於有某些人為了要否定自己歷史文化的價值，因而否定「中國人」的生存的價值。』

——一九五九／三／二，〈今日中國文化上的危機〉，《東風》

中西文化之十

『一個偉大的科學家（註：愛因斯坦），對人類是有責任感的；當然，對他自己的同胞，也會有更深的感情。

『道德和宗教，愛氏把它放在論公共的事情這一部分，是因為一個人孤立在一個地方時，是無所謂道德的；道德的根源在個人，而道德的作用卻是在群眾之中，所以說這是公共的事情。

『愛因斯坦指出人所以為人的意義，正因為在科學知識系統以外，還有一個人生價值系統；而從前一系統中，演繹不出後一系統，而是各有來源的。

『關於後一系統的來源，他指出是宗教。他進一步則不能不指出這些價值判斷，只能作為「強有力的傳統而存在」，亦即是只有在人類的歷史文化中而存在。除了歷史文化，沒有價值判斷的根源。所以否定中國人存在的價值的人，他一定否定道德，一定否定歷史文化。』

——一九五九／三／二，〈今日中國文化上的危機〉，《東風》

中西文化之十一

『希臘哲學，發生於對自然的驚異。

『各種宗教，發生於對天災人禍的恐怖。

『而中國文化，則發生於對人生責任感的「憂患」。

『憂患並不同於恐怖。恐怖常將人之自身，投擲於外在地不可知的力量（神）；憂患則常要求以自身的力量，掌握自己的命運。』

——一九六〇／七／十六，〈中國古代人文精神之成長〉，《民主評論》十一卷十四期

中西文化之十二

『憂患是深入於困難情勢之中，以自己的責任感，探索解決問題端緒的心理表現；這便不能安心於在實際上無所作為的信仰，而要求在實際的行為中解決問題。這種情形，可以說是在天命中的自主性，在宗教中的人文精神。

『以憂患意識為基底的人文精神，常將個人欲望消解於其對人類責任感之中；它和以表現個人才智為中心之人文主義（西方的人文主義），在基調上完全是兩樣。』

——一九六〇／七／十六，〈中國古代人文精神之成長〉，《民主評論》十一卷十四期

中西文化之十三

『許多人主張道德係由科學知識而來；有了科學知識，便自然會有道德；沒有科學知識，便沒有所謂道德。因此一般人們說的道德問題，實際只不過是知識問題，只要把知識問題解決了，道德問題便也隨之而解決。

『在中國的《大學》一書上，便以為致知、格物乃正心、誠意的必經途徑。這一主張，由後來的程伊川、朱元晦加以繼承，但實際上沒有多大的成就。而希臘的蘇格拉底，是非常重視道德的；但他很明顯的主張知識即道德。

『做這一主張的最難一點是：孔子、釋迦、耶穌們的科學知識，未必趕得上今日一個好的高中學生；而鄉下人的道德，一定趕不上住在都市裡的人們的道德，因為住在城市的人，總比鄉下人的知識高一點。這種論點應用到實際上的時候，便很難回答上面這一類極簡單，但又非常真實的問題。』

——一九六一／十二／二十一，〈科學與道德〉，《華僑日報》

中西文化之十四

『他（註：愛因斯坦）認是「人類信心，固然應當由經驗與分析的思維所支持」；但對於人類的行為、判斷所必要的信心，並「不是僅靠堅實的科學方法，所能得出來的」。因為「所謂科學方法，僅能求出諸種事實，是如何互相關聯，及如何互相為條件。」由此所得的「這是什麼」的知識，並不能直接打開「這應當怎樣」的門。』

——一九六一／十二／二十一，〈科學與道德〉，《華僑日報》

中西文化之十五

『研究的成果，常決定於研究者的動機。

『西方人研究中國文化最先的動機，可以說是為了個人的興趣。興趣是以研究者個人為尺度。個人興趣的尺度，與中國文化自身的尺度，常有很大的距離，由個人的興趣所作的研究工作，對整個中國文化而言，可能是並不相干，或者是微不足道的。

『西方人研究中國文化的另一動機，是為了在中國傳教。這便容易形成一種強大的成見。於是他們在研究中國文化時，無形中便採取兩種態度：一種是希望在中國文化中發現出隱而不彰的上帝，等待他們來加以彰著。或者認定中國文化，是信仰低級的宗教，等待他們來加以提高。另一種是希望暴露出中國文化的弱點，證明中國人的犯罪性，非待他們來加以救濟不可。

『在我的印象中，歐洲小國傳教士的態度，多比英美傳教士的態度為好；而一般外國信徒對中國文化的態度，比中國信徒對中國文化的態度，又常好得多。因為中國信徒的深層心理，本只是信「洋」、而不是信「教」的。

『目前美國人積極研中國文化的真正原因動機，乃在為了對付中國共產黨。這是以政治性實用為目的的研究，所以研究的重心，是中共的本身及與中共關聯最密切的近代史、現代史。

『因為要對付中共而研究中國文化，很容易走上以為對付中國文化即是對付中共，這更不會有結果。

『美國對中國文化研究的能力，沒有方法可以與日本人相比。在中日戰爭期間，日本人為了贏得戰爭，動員了很大的力量來研究中國文化。但這種研究，不僅無裨於日本人的目的；並且在此一動機、目的之下，研究出來的結果，絕對多數，只能算是日本學人的恥辱。』

——一九六二／七／十二，〈美國人與中國文化〉，《華僑日報》

中西文化之十六

『不要拿西方柏拉圖下來的一套哲學來看孔孟之道；兩者是全不相干的。孔孟之道，只不過教人以正常地人生態度，及教人以人與人正常相處的態度。』

——一九六三／十二／十、十一，〈一個中國人在文化上的反抗〉，《華僑日報》

中西文化之十七

『科學知識，為什麼只是成長於古希臘文化系統？

『因為古希臘哲人，排除實用的觀念，重視「為知識而知識」的精神；這樣便能順從對象自身的法則，一直追求下去，而不致受到當下有用、無用的干擾與限制。

『用另一語言表達，他們特別重視各學術的自律性；這是科學得以成長的重大原因。』

——一九七二／五／二、三，〈再論「古今為用」〉，《華僑日報》

中西文化之十八

『古希臘文化，標出真、善、美為人生所追求的三大理想。真、善、美，有相互的關聯，也有獨立的領域。

『真的事物未必即是善的、美的事物；但善的事物、美的事物，必須是真的事物。所以求真，有其自身的自足要求；同時求真又是通向求善、求美的必經之路。

『一切的罪惡，一切的醜惡，都是由與真相反的欺詐、虛偽出來的。我國文化中，特別強調「誠」，強調「信」，正由此而來。

『真不能代替善，不能代替美，但突破一切自我與外境的困難以求真的一切正直之心，其本身即是善的，即是美的。』

——一九七二／九／十，〈擴大求真的精神吧〉，《華僑日報》

中西文化之十九

『但西方哲學家，多只把他們求得的知識，加以條理、加以推演，構成一套知識系統，以解答他所認為要解答的問題。但卻很少對他自身發現問題，所以「思想」與「思想者」，常處於不相干的狀態。

『孔子對他所求得的知識，不是通過邏輯去推演它，而是把與自己生活生命有關的部分，由實踐而在自己的生活生命中體現出來、證驗出來，以求不斷地開闊自己的生命、提高自己的人格。對孔子來說，他所成就的不是哲學思想。而是具體存在的人格。』

——一九七六／十一／七、二十三，〈面對時代淺談孔子思想〉，《華僑日報》

中西文化之二十

『中國的哲學、文學、史學，都對現實的政治、社會、人生，有深刻的批評性；在這一點上與西方文化，沒有分別。政治、社會、人生，是在文化批評中推動前進。取消了批評，便取消了文化，便失掉了人類前進的推動力。』

——一九七七／八／二十二，〈瞎遊雜記之十〉，《華僑日報》

中西文化之二十一

『古今中外，凡是有價值的人、有價值的人文著作，必係由突破其階級性以透露出共同的人性來。價值的大小，由突破與透露的程度而定。

『在中國文化傳統中，這種道理，到二千多年前的孔、孟、老、莊而已大明。但在西方文化傳統中，卻沒有這一方面的發展，到現今還在摸索之中。於是中國文化之所謂人性的自覺，是由個性伸向群性的自覺。而西方文化中之所謂人性的自覺，則常停頓在個性的層面上，實即停頓在個人所屬的階級之上。』

——一九七八／三／七、二十一，〈讀馮至〈論洋為中用〉〉，《華僑日報》

中西文化之二十二

『中國的「道德地人文精神」，是在「憂患」中所形成，須要由有「憂患意識」的人士才可以把握，加以宏揚的。

『基督教所以能成為世紀性地宗教，我的了解，是由十字架所象徵的擔當苦難的救世精神。救世精神是從「苦難意識」中透出來的，這才有其真實性，有其感動力。因此，我以為，只由真正懷抱有「苦難意識」的人，才有真正地宗教信仰，才能通過他們的信仰，發而為解放人世間苦難的行為。』

——一九七八／十一／一，〈天主教的集體智慧的表現〉，《華僑日報》

中西文化之二十三

『要從哲學上通中、西之郵，是很困難的，因為在大脈絡上，走的是兩條不同的路。中國是以體驗為主，落實於行為；西方是以思辨為主，歸結於概念。所以凡是拿西方哲學的架子來講中國哲學的，我感到都有問題。』

——一九七九／三／十二、十三，〈從顏元叔教授評鑑杜甫的一首詩說起〉，《中國時報》

中西文化之二十四

『唯心唯物，乃是希臘系統哲學家所提出的問題，也是一個哲學家認識的最後到達點。在中國「人文」性格的文化中，並沒有提出這種問題。所以嚴格地說，中國沒有希臘系統型的哲學家。』

——一九八〇／七／二十九，〈中共能不能改變研究「歷史文化」的態度與方法〉，《華僑日報》

中西文化之二十五

『孔子不是為了滿足個人「知的喜悅」而發心，是為了解決「吾非斯人之徒而誰與」的人類生存問題，為解決一切問題的基礎而發心。

『每一個人所需要，並且又為每一個人自己可以做到的，是正常的生活。由孔子之教所開闢的世界現實生活中的「正常人」的世界；是人和人應當進入，也可以進入的平安的世界。人能進入到柏拉圖的理想型世界中去嗎？能進入到黑格爾的絕對精神的世界中去嗎？』

——一九八一／二／十七，〈正常及偉大（之三）〉，《華僑日報》

中西文化之二十六

『沒有心的內在世界，便沒有所謂精神文明。心不表現而為對外在世界的涵融，即沒有心的內在世界。心對外在世界的涵融，必須具備兩個基本條件。

『第一個基本條件，必須發現除了物質生活以外，還有不是物質生活可以限制的人生價值。

『第二個基本條件，是認為外在世界的芸芸眾生，在本質上與自己同類而有平等的。因為是同類的，便不必存有敵意；因為是平等的，便不應存有歧視外在世界。僅能在無敵意、不歧視的狀態下，進入到自己的心裡，而為心所涵融。』

——一九八一／六／十二，〈「精神文明」試探〉，《華僑日報》

伍之五、宗教

宗教之一

『西方最大的傳統是宗教。宗教是以組織的力量支持一種信仰，所以它有很大的排斥性。『中國傳統最主要的卻是儒家。儒家沒有組織力量的支持、其性格也是沒有排斥性的文化。『中國的傳統，是排斥性最少的傳統，是維持力最弱的傳統。』

——一九六二／三，〈論傳統〉，《東風》

宗教之二

『西方型的哲學家，他所表現的理智，可以對人類命運不負責，甚至哲學家自身，也對他自己的知識不負責任。

『普通的教徒，只為自己從罪孽昇向天國而祈禱，祈禱後更安心去作惡。

『偉大的宗教家，則常關心於人類的命運，並對其所奉的教義，首先求其在自己行為中實現。但於不知不覺之中，常須歪曲、或阻滯理智的伸展，以維護宗教所信仰的神話。

『以偉大宗教對人類命運的責任心，發揮哲學家的理智；將哲學家的理智，實踐於自己日常生活中的行為，這才是中國人所謂的聖人。』

——一九五七／七／一，〈中國文化的對外態度與義和團事件〉，《民主評論》八卷十三期

宗教之三

『佛教初到中國，只不過是由中亞細亞若干小國的半商半僧侶的人開始，並沒有遇著中國人的仇視且不久在中國開花結實，以迄現在。

『以利瑪竇們初到中國來傳耶穌教而論，他們地位單寒，一無憑藉，但依然沒有遇到中國的仇視，而且也及身發生了相當大的影響。

『這都足以證明「道並行而不相悖」的偉大地中國文化的性格，對任何文化，都可以兼容並包，不像西方文化自身的常常帶有火藥氣味。

『在中國人的心目中，這是宗教、這是文化，中國人認為宗教與文化是沒有界域的，所以儘管可以根據目的、思想及生活方式而不信它，或從理論上加以辯難，但絕不至於訴之於直接暴力行動的仇視。』

——一九五七／七／一，〈中國文化的對外態度與義和團事件〉，《民主評論》八卷十三期

宗教之四

『前東海大學校長曾約農先生屢次談基督十二個門徒，分別四出傳教，只有傳到希臘、羅馬文化範圍內的一支，才得到文化土壤的培植而發榮滋長，其餘的，則都沒沒無聞。所以他認為基督教會在中國生根，有賴於中國傳統文化的復興與結合。他的話，證以湯用彤氏所著的《漢魏兩晉南北朝佛教史》（這真是一部權威的著作）中所述佛教與中土文化互相影響的各種事實，是一種很可靠的意見。』

——一九五八／一／二十，〈作為一個中國人的感慨〉，《祖國周刊》二十一卷四期

宗教之五

『教會學校實際係有一文化殖民主義在其中，弟看破此點後，精神即深感不安。』

——一九五八／八／十五，《徐復觀致唐君毅佚書六十六封》，No. 38

宗教之六

『中國文化精神可歡迎世界性的任何宗教，中國人可以信仰任何宗教，並且任何宗教的虔誠信徒，都值得尊敬。

『假使那一種宗教出於批判態度的反對中國文化，那一定是出於文化的征服意識！一定有中國人在外來宗教招牌之下來欺凌祖國的文化，那一定是「吃教」的受了殖民主義的毒素過深的人。

『老實説，台灣在知識份子所集中的城市裏，只有得意忘形的美國主義，潛滋暗長的日本主義；很難找到所謂中國地民族主義。』

——一九五八／九／十六，〈反集權主義與反殖民主義〉，《民主評論》九卷十八期

宗教之七

『佛教和基督教，同是世界性的偉大宗教。但基督的精神，是由尖銳地歌德式的教堂建築所象徵著；而佛教的精神，則係由柔和地線條所構成的寺院頂蓋所象徵著。寺院的頂蓋，都是很崇高地；但構成頂蓋的線條，卻用的是弛緩地弧形，所以直而不硬，方中有圓，於是在高台之中，含有與地面相親和的意思。若說儒家文化，是積極性的和平力量，則佛教便是消極性的和平力量。世界上，只有這兩大文化是真正代表人類走向和平之路的文化。』

——一九六〇／五／十八、十九，〈日本的鎮魂劑〉，《華僑日報》

宗教之八

『我們大體可以說人類開始是在一種恐怖之心理下而信仰神；再進一步，是用一種敬畏的心裡來信仰神；再進一步，才適用原罪的心理來信仰神。

『一個人只有在感覺到他充滿原罪的時候，才能夠從他現有的位置中超拔出來，向神去接近。所以原罪的觀念，在宗教中居於一種主導的地位。

『中國文化之中所發現出來的深層心理，簡單說，就是「性善」。

『中國文化中對於性善的陳述，只告訴人，性善的善，是在每一個人的生命中，當下可以證明，而不需要思辨來加以證明的。我們在實際的生活中間，即可以證明有善的存在；在我們判斷那是善、那是惡的後面，實際存在有一種善的最基本的標準。

『在宗教方面，是不是也可以根據神是按照自己的形象以造人，來承認性善呢？是不是從人的性善這方面，來發揮教義、發揮神的意志，對於挽救當前的危機更為有效、更能給人以信心和鼓勵呢？』

——一九六二／二／一，〈一個中國人文主義者所了解的當前宗教（基督教）問題〉，《人生》二十三卷六、七期合刊

宗教之九

『人類是在某種環境之下，因為某種特殊的機緣，兩相結合因而形成某種性格的宗教。宗教乃適應某種環境下人們藏在內心裏深切的願望而產生的。』

——一九六三／六／一，〈宗教鬥爭與東南亞前途〉，《華僑日報》

宗教之十

『佛教與基督教最大不同之一，在於佛教是和平的性格，而基督教則是鬪爭的性格。所以佛教的宣揚，很少引起流血事件，而基督教的傳教，要緩和其鬪爭性格以保持相互間的和平，完全靠十六世紀以來一連貫性地自覺，以得出信仰自由的偉大結論。

『在文化的立場看，「佛性」、「聖靈」，本是一物；而釋迦、耶穌，都是要讓人憑自覺自悟，以顯性顯靈的。但耶穌死後，他的偉大愛心與教義，都在被壓迫下的窮苦階級中傳播，所以保羅便強調了人性中罪惡的一面，使窮苦階級的人們，容易因希望得救而接受信仰。到了中世紀，教廷為了鞏固自己對世俗的統治，便更確立了「原罪」的教說，使人相信自立不能得救；要得救只有通過以教廷為首的僧侶階級。

『佛教相信自身成佛、因之身修重於傳教。基督教不相信自立得救，因之他們的活動，不是以自身的修證為中心，而是以傳教為中心。到了新教成立，可以說除禱告外沒有修證。佛教徒是要在修證中找見證；基督教則要在受洗的多少上找見證。世界上無孔不入的傳教活動，乃由此而來。』

——一九六三／六／一，〈宗教鬥爭與東南亞前途〉，《華僑日報》

宗教之十一

『西方人向東方人傳教，概略言之，有三種心態。

『一種是出於自己真正地宗教精神，以最大的熱忱、忍耐，說明自己的教義。傳教的目的，在於他影響所及的地方，能得到人們現實行為、生活的改善。

『第二種是把自己的信仰和人種的優越、自己國家的現實利害結合在一起，用各種手段、技巧，對東方人作精神上的征服。把宗教意識和征服意識混在一起。他們傳教的目的，在物色適合於他們那種意識所要求的「土人」。

『第三種則正是秉承第二種的意志的「土人」的傳教。這種土人傳教，表面上是捧著神來抬高自己的地位，實際則是捧著西方的優越感來壓自己的同胞。』

——一九六三／六／十八，〈宗教鬥爭與東南亞前途〉，《華僑日報》

宗教之十二

『宗教把人世的問題，想提到天上或來世去解決，若剋就良心自覺而加以承當，則良心所涵蓋的必然是人類現世的問題，它要求在人類現世中得到解決。這是宗教與儒家的大分水嶺。』

——一九六三／十二／一，〈良心、政治、東方人〉，民主評論》十四卷二十三期

宗教之十三

『宗教中的罪孽感，首先是來自對生命價值的否定。一切宗教，都以為人生價值，不僅不在生命的自身；甚且認為生命的自身，乃實現最高價值的一種束縛，一種障礙。這樣一來，生命自身即是罪孽，有此生命，即有此無可奈何的罪孽感。生命最直接的表現，是由生理所發出的各種慾望。各宗教對生命自身的罪孽感，落實下來，即是對慾望的罪孽感。

『各種宗教，必以各種苦行來剋制這種慾望，亦即是剋制這種罪孽。

『儒家思想，則視生命為人生價值的基礎。完成人生的價值，首在合理地保持自己的生命。

『對生命的自身，不認為是罪孽，於是原罪的觀念，自不能成立。由生命而來的慾望，中國文化只主張節制，而不主張斷絕。』

——一九六八／九／十九，〈中國文化中的罪惡感問題〉，《華僑日報》

宗教之十四

『愛因斯坦說宗教對於人的行為有決定的作用，但宗教的定義怎麼下呢？他說所謂宗教，只能說是宗教精神，何謂宗教精神？一個人到底為自己打算得多些呢，還是為人打算得多些？假如你為人打算多些，為自己打算得少，你就是宗教；假如你只知道為自己打算，不為他人打算，你就是反宗教。愛因斯坦所說的宗教，不就是一個「仁」字嗎？』

——一九八一／五，〈徐復觀論中共政局〉，《七十年代》一三六期

宗教之十五

『我由此常想到基督教適應了奴隸社會，適應了封建社會，適應了資本主義社會的情形，這在歷史的演變中，如何去為它定性呢？』

——一九八一／九／二十，〈台北瑣記〉，《華僑日報》

伍之六、談文化

談文化之一

『一般衡斷道德的標準，總是從目的或動機上講。而不從手段上講。』

——一九五二／七／十六，〈與程天放先生談道德教育〉，《民主評論》三卷十五期

談文化之二

『他（註：唐君毅）寫此書（註：《人文精神之重建》）的中心信念，是拿「人當是人；中國人當是中國人；現代世界中的中國人，亦當是現代世界中的中國人」這三句話來包括。

『第一句話是代表人的自覺，第二句話是代表中國人的自覺，第三句話是代表中國人對現代世界的自覺，並由中國人對現代世界擔當責任的自覺。』

——一九五五／五／四，〈文化上的重開國運——讀《人文精神之重建》書後〉，《華僑日報》

談文化之三

『文化必須在社會生根，必須由社會向各方伸長。政治上之提倡，只能發生一副次的作用。若先存一利用之心，而所行所為，又皆與其文化之口號背道而馳，則此種政治之提倡某種文化，同時即毒害某種文化。』

——一九五七／四／十七，《徐復觀致唐君毅佚書六十六封》，No. 33

談文化之四

『我要藉此鄭重奉告國人，與外人相處之道，即是孔子所説的「言忠信，行篤敬」的每個人作人的基本道理。小智小巧，只有喪盡人格，因而，喪盡國格。中國人、外國人，都是人，都應以人之道自處、以人之道相待，在困難時更應如此。』

——一九五七／七／一，〈中國文化的對外態度與義和團事件〉，《民主評論》八卷十三期

談文化之五

『凡是把他人當野蠻人看待，因而用野蠻的手段去加以處理的，這即證明他自身絕對底是野蠻。因此，我們對義和團的行為應當切身反省。但若西方人能有真正的文化自覺，則他們應當知道他們行為的自身，並沒有指摘義和團的資格。』

——一九五七／七／一，〈中國文化的對外態度與義和團事件〉，《民主評論》八卷十三期

談文化之六

『這裡所說的思想，是把各個層次的思考、思辨、反省，都包括在內。

『它的特性，常識地說：第一、是把感官所得的材料，通過心的構造力與判斷力，以找出這種材料的條理，意義，及與其他材料的關聯，和它自身可能的趨向。第二、是把客觀的東西，吸收消化到主觀裡面來；又把自己的主觀，投射、印證到客觀上面去；由這種不斷反覆的過程，而把主觀世界與客觀世界，經常聯繫在一起。

『由上面的兩種作用，便把人生向深度與廣度方面推展、擴大，因而能把人與人、人與物，作有意義的連結，並向有意義的方向前進。人類的文化生活，便是這樣一步一步地建立起來；人類自然地生命，便是在這種文化生活中而生存發展。』

——一九六〇／四／十二、十三，〈不思不想的時代〉，《華僑日報》

談文化之七

『人類思想的動機，常是來自在感官生活中的有所不足。譬如僅憑看、僅憑聽、僅憑行動，似乎覺得對某種事物把握得並不完全；覺得在可看與可聽的後面，似乎還存在著看不見，聽不到的東西，這便自然會引起思想作用。

『在人類生活中，永遠存在著只能由心靈去接觸，而不能完全訴之於用耳目、感官去感受的東西。

『站在人的生活立場來講：或許這些東西即是最後的真實、最後的需要。宗教、道德、藝術這一屬於「文化價值」系列的東西，便是如此。

『科學與商業聯合起來，儘量使人的感官，得到圓滿無缺的滿足，以消蝕使人去思想的動機。』

——一九六〇／四／十二、十三，〈不思不想的時代〉，《華僑日報》

談文化之八

『第一次試坐東京的地下鐵道，我在擠得吐不過氣的人潮中，突然感到眼前的場面，便是現代文明的縮影。人本來是去坐車的。但能擠進車去，並不是出於自己的意志和力量，而只是被動的任憑與自己無關的力量在推來推去。進車以後，大家肩摩踵接，在形跡上，可以說把人與人之間，變得再密切也沒有了。但大家就像捆在一起的木柴，彼此沒有由生命所自然發出的互相關聯的感覺。這正是現代文明的作品，也是現代文明的形相。

『現代文明，是把人從屬於自己所造出的機械。機械變成了主體，而人自己反而成為機械的附庸，由機械的構造、活動的要求，而把人組織得比過去任何世紀更為緊密；但組織在一起的人們，彼此只有配合機械的協同動作。這種協同動作與每一個人感情意志無關；因而很少有情感的交流、意志的結合。人與人的關係，變成了機械零件間的關係。』

——一九六〇／四／二，〈櫻花時節又逢君〉，《華僑日報》

談文化之九

『日本人的日常生活，在物質這一方面的變遷，大約可把它分成四種型態：

『第一是舊的東西，加上了新的解釋。

『第二種型態，是新地內容，卻保持舊地形式。

『第三是代替與並存的形態。

『第四是從無變有的形態，這正是社會前進的顯明結果。

『作為一個社會的整體的變遷，是上面四種形態，自然結合在一起。』

——一九六〇／四／二十二，〈從生活看文化〉，《華僑日報》

談文化之十

『杜甫憶李白的詩：「何時一樽酒，重與細論文」。不「細」便不足以論文；而細是要在從容閒暇的一樽酒之間得來的，我謝竹田博士請我吃飯的詩的末兩句是「千萬人闤塵滾滾，願從閒處做商量」，便是深有感於東京不是談學問的環境；因為它太忙而把人情味忙掉了。』

——一九六〇／五／十八、十九，〈日本的鎮魂劑〉，《華僑日報》

談文化之十一

『現代人不追問「為了什麼」？而只追問「怎麼辦」。

『「怎麼辦」，當然也是一種思想的運用；但這種思想的運用，常是以感官為主，把思想拘限在事物的表層上，拘限在事物的孤立地個體上；作為思想特性的向深度與廣度的推展擴大，在這種情調之下，是發揮不出來的。

『這一趨向的形成，一般的說，是由於每一個人，都被編入於萬能化的技術家政治（technocracy），及日益擴大的官僚政治（bureaucracy）之中，使每一個人，不是以「一個人」的身份而存在，乃是以「大眾」的身分而存在。

『一個人，在萬能地技術與龐大地官僚集團之前會感到太渺小、無力，失掉了存在的權利與勇氣，於是只好以「大」而且「眾」的集體形相，來向技術與官僚，爭取一點平衡，表現一點存在

『一切要倚靠大眾，每個人只能以大眾的身份而存在，這便會慢慢地置個人思想於無用之地，因而把人的「主體性」逐漸地喪失了。

『人只有在思想中，才能發現「我的存在」，即主體性的存在；也只有在發現「我的存在」時，才能夠思想。』

——一九六〇／四／十二、十三，〈不思不想的時代〉，《華僑日報》

談文化之十二

『不過日本的佛教，和中國的佛教，卻有一個明顯的對照。即是，日本佛教的佛像，都是安放在幽晦、邃密的複殿裡面，神秘的氣氛特強，予瞻拜者以對人隔絕之感。這本是表現在各種宗教共同的特性。中國大雄寶殿的佛像，則常坐在爽朗光明的氣氛中，使瞻拜者感到它是在我們的同一世界中顯現其莊嚴偉大；而不是在另一世界中顯現其威嚴神秘。真的，一切的東西，一進入到中國的文化裡面，便都明朗化了，便都人情化了。同是佛教，也同樣反映出中日兩民族的不同地性格：一是開朗，一是深密的不同性格。』

——一九六〇／五／二十八，〈京都的山川人物〉，《民主評論》十一卷十五期

談文化之十三

『人在從容閒暇中，始有真正的生活情調。所謂情調，是暫時把現實的利害忘記，對生活作某方面的欣賞。在生活的欣賞中，才有「人情味」的浮出。』

——一九六〇／五／十八、十九，〈日本的鎮魂劑〉，《華僑日報》

談文化之十四

『日本許多學人治學的勤懇、辛勞，自然使他們不把政客放在眼下，在這種地方依然還閃出一點學術之光來淨化人間卑賤的一面。這和我們許多人掛著學人、教授的招牌，拋棄自己的本業不做卻匍匐在政客腳跟下吮汙泥，又從何處做比較？

『即就是一般的社會生活看，日本人到處表現的是「精密」，而我們到處表現的是「疏闊」；日本人到處表現的是「周到」，而我們到處表現的是「粗疏」；日本人到處表現的是「勤謹」，而我們到處表現的是「懶散」；日本人到處表現的是重知識、重藝術欣賞，而我們到處表現的攢門路、重食色沉湎。

『以利己為活動中心的資本社會主義，事實上也須要以「利人」來做「利己」的手段；而日本人民在長期封建社會的禮節中所養成的對人的叮嚀周到的傳統，配上現代的商業精神，在這種地方更做得非常親切。』

——一九六〇／九／十六，〈人的日本〉，《民主評論》十一卷十八期

談文化之十五

『自從各色各樣的革命人物得勢以來，數千年來，與勞苦大眾的生活情調融合在一起的「年節」，被逼得走投無路，先委屈的稱為「舊年」，現在再退一步，只好稱為「春節」了。春節云者，即是我們勞苦大眾過了幾千年的年節。』

——一九六三／一／一，〈春節懷舊〉，《自由談》第十四卷第一期

談文化之十六

『風俗由人民生活的積累而成，人民生活的意味也是具體地浮雕在風俗裡面。抹煞社會的風俗，即是抹煞了人民具體生活的意味，使人民只成為工具上的數字，這是很殘酷的事情。』

——一九六三／一／一，〈春節懷舊〉，《自由談》第十四卷第一期

談文化之十七

『人不僅是為勞動而存在，也是為享受自己的勞動而存在。把勞動和對勞動的享受結合在一起，這才是「人的生活」。而農村的勞苦大眾，只有在節日裡，尤其是在過年的年節裡，才有享受自己勞動的機會，才能作為一個完整的人的存在，把生命生活的意義，從各方面表現出來。因此，節日，尤其是年節，是風俗的集結點。』

——一九六三／一／一，〈春節懷舊〉，《自由談》第十四卷第一期

談文化之十八

『中國的婚姻觀念，是以連帶責任的倫理觀念為出發點。一個人的結婚，上對祖宗，下對子孫，中對自己的家族及對方的家族，都負有連帶的責任。古人說：「妻者齊也，一與之齊，終身不改。」這因為一個人的婚姻，牽連到倫理上的許多問題，雙方在精神上都應受到這種約束。

『西方的婚姻觀念，是以個人自由的觀念為背景。男女結合，只對自己的感情、意志負責，與他人無關。在自己的感情、意志感到需要離婚時，這也是純個人的問題，只要法律許可，一概與社會無關，與他人無涉。』

——一九六三／四／二十七，〈一個小型的中西觀念的衝突〉，《華僑日報》

談文化之十九

『隨時代的前進，和現實問題的要求，中、西觀念的衝突，本來不應當再有的；之所以還有衝突，我以為真正的責任乃在今日有些中國人常運用中、西文化中壞的一方面，以求達到個人徹底的自私。

『就婚姻說吧，若是男子打著西方個人自由的招牌以求達到個人在女性前的放縱；而女的則利用中國傳統婚姻的膠固性，以求達到商業式的目的；則所謂中西觀念的衝突，又還原到一個原始性的個人利害衝突。

『我常以為，在人類理性自由選擇之下，一切文化，好的受到吸收，壞的受到淘汰，不懂的受到客觀地研究，絕無衝突可言。

『衝突的形成，乃是出自有些人打著某種文化招牌，以求達到自私之念。這與其說不同文化間的相互衝突，不如說是反文化者與文化的衝突。』

——一九六三／四／二十七，〈一個小型的中西觀念的衝突〉，《華僑日報》

談文化之二十

『知識與技術，毫無疑問的，應當使用進步的觀念。對宗教與道德而言，很明顯地便不適用進步的觀念。

『凡是屬於「價值」層次的事物，不能輕易適用進步的觀念。因為人性的自身，是價值的根源和歸宿。由人性中所開拓、昇華出來的人格、藝術，其本身即係圓滿無缺，不隨人性以外的事物的變遷而在價值上有所增減。

『對價值層次的事物而濫用進步的觀念，結果常常是取消了某些事物所含的價值，乃至把人生完全降低到僅屬於經驗地存在的層次。』

——一九六三／九／二十二，〈文化的「進步」觀念問題〉，《華僑日報》

談文化之二十一

『沒有「中國人」，當然沒有中國文化；沒有中國文化，實際也便沒有中國人。』

——一九六三／十二／十、十一，〈一個中國人在文化上的反抗〉，《華僑日報》

談文化之二十二

『職業道德，才是近代道德的最具體地內容。

『任何職業，都含有許多社會關係者在裡面。把某一職業做得好，即是通過某一職業而對於它所含的社會關係者，有所貢獻；這不是最真實地道德嗎？

『為了做好一樣職業，必定會不斷地追求與某一職業有關的知識、技術，做到老，追求到老。於是廣大地職業活動，即是廣大的知識、技術的進步活動。』

——一九六四／八／十三，〈我們在現代化中少了點什麼——職業道德〉，《華僑日報》

談文化之二十三

『史學，主要是追求歷史的真實。但歷史的真實，不僅僅可以滿足人類與生俱來的求知慾望，而且對於求生存著的人們，會發生各種照明的作用，因而它也成為對人類行為的一種無言的，但是又非常有力的評判者。』

——一九六六／六／一，〈極權政治與史學〉，《民主評論》十七卷六期

談文化之二十四

『道德有其精神，有其實現的形式。

『實現的形式，係由時代各種條件決定，也受到時代的限制。過時了的形式，會成為生命的桎梏。

『但道德精神，是永恆不變的。例如結婚的形式不斷的變，但重視男女的結合以安定人生社會的結婚精神卻永遠不變。』

——一九六六／九／十六，〈反傳統與反人性〉，《中華雜誌》四卷九期

談文化之二十五

『許多人是把中國文化當作個人利祿名譽的工具。當中國文化與其個人的利祿名譽不相容時，便立刻歪曲中國文化，踐踏中國文化。』

——一九六八／七／十一，〈悼念熊十力先生〉，《華僑日報》

談文化之二十六

『受氣候支配的農業生產，每年的氣候是循環的，生產也是循環的，生產的種類、數量也大體上是循環的，人們行為的規範及政治社會的反應，也是靜止而循環的；由此而形成循環史觀。

『由技術進步而促成工業社會，由工業社會又促成技術進步；產品產量，不進步，便被淘汰；只有進步，才可以生存發展。

『所以由農業社會進入到工業社會，循環史觀便自然讓位給進步史觀，不關涉到中西文化異同的本質。

『循環史觀之下自然產生「報應」思想，或者可以說是「物極必反」的思想。中國的此種思想，乃出自中國的歷史意識；及印度佛教東來，更將此一思想賦與以宗教的信仰，賦與以輪迴的具體圖案。

『一切都是直線的上昇，直線的前進，而依然會出現強大的循環、報應的現象。』

——一九七三／十／二，〈經濟上的循環報應〉，《華僑日報》

談文化之二十七

『知識，是由認知能力用在客觀對象之上、得出與客觀對象相應的瞭解而來。對同樣的對象，可以發生不同的了解；這是在認知後的推理或處理過程中所發生的問題。在認知的起點地方，必然有概略性的一致；否則人類的社會生活便不能成立。

『列寧曾經說，「知識有如娼婦樣，可以為任何階級服務」。這句話的另一方面的意義，表示了不同的階級，可以有共同的知識；只是在運用的方向上有所不同。』

——一九七四／二／二十六、二十七，〈不可否定人類的基本「認知」能力〉，《華僑日報》

談文化之二十八

『此一文化系統（註：中國文化）中雖有許多弱點，但只有此一文化系統有成己、成物的人文教養，只有此一文化系統為人民奔走呼號，只有此一文化系統產生志士仁人的愛國主義者，它之所以成為中華民族的保姆的原因在此。』

——一九七五／九／九、十、十一，〈誰是中國的皇帝？〉，《華僑日報》

談文化之二十九

『凡一種思想，經過組織加以推擴時，組織的力量，必遠超過思想所含有的價值。因之，他們的影響力，十之八九是來自組織而不是來自思想。

『孔子的思想，因皇權專制的利用而被汙染歪曲；但各種宗教主義，在其組織中所受的汙染、歪曲，隨組織效率的提高，將較皇權專制為甚。

『所以文化正常發展的最大絆腳石，是傳播文化的組織。非由組織而來的影響，才是真正由文化自身價值所發出的影響。』

——一九七六／二，〈孔子在中國的命運〉，《明報月刊》十一卷一期

談文化之三十

『思想的價值，要通過政治權力的三種考驗來證明的。

『政治權力的第一種考驗，是思想在沒有政治權力支持的情形下，看他能否發生影響。

『政治權力的第二種考驗，是由正面加某種思想以壓迫。

『政治權力的第三種考驗，是由動機與行為處處與孔子思想相反的統治者，卻口口聲聲地說：「我很崇拜孔子，我是提倡孔子的思想」，把孔子的思想，和這種人的骯髒地政治，混淆起來，使人民因厭惡他的政治，也厭惡到孔子的思想。』

——一九七六／十一／七、二十三，〈面對時代淺談孔子思想〉，《華僑日報》

談文化之三十一

『文字是語言的符號，是適應語言而創造出來的。

『中國以表意為主的文字，是和我們一音一義的語言特性不可分。

『日本和中國，在語言上屬於兩個不同系統；他們的「假名」，是適應他們自己語言所作的表音符號；他們大量使用漢字，是在吸收中國文化中所積累的現象。就他們語言的本身說，是不太自然。漢字語、日語，本是不相對稱的。

『隨漢文向日本的流入，構成日本國語中的一部分，漢語只有用漢字才表達得清楚。

『漢字本身是夾帶著豐富的文化而流入日本的。漢字的廢除，使由漢字所挾帶的文化也歸於模糊，社會生活將陷於枯窘，這是莫大的損失。

『還有，因漢字的以形表意，對許多概念，較表音字表現得比較清楚。

『這是日本經過三十一年的試驗所體認出來的。所以漢字實已與日人的血肉連在一塊。』

——一九七七／二／十，〈漢字在日本的考驗〉，《華僑日報》

談文化之三十二

『在公園裡，遇見的美國人多起來了，我的印象是：他們的態度和善、樂觀、坦率，而工作認真、負責。他們的自信、自尊就流露在他們的和善、樂觀、坦率、認真、負責之中。杜君（註：杜維明）告訴我，美國東部人們的表情，便不一定是如此的和善。而農村人們的態度，比住在都市的人們更為和善些。但對工作的認真、負責，則無間於東西南北。』

——一九七七／七／十五〈瞎遊雜記之二〉，《華僑日報》

談文化之三十三

『就社會大衆來講，有了物質精神的餘裕，便會有禮節。』

——一九七七／八／二十六，〈瞎遊雜記之十二〉，《華僑日報》

談文化之三十四

『大家應當記得，有位黑人作家寫了一部可譯為「根」的小說，在美國轟動一時，並曾拍成電視劇引起美國不少人的尋根熱，紛紛想找自己家世的來源。

『族譜即是中國人的根。中國首先有帝王的譜牒，再有諸侯、貴族的譜牒，再有世家的傳記。大概到了漢末而漸漸出現了世家的家譜，再推衍便出現了一般平民的族譜；這是中國史學發展的高峯，使每一個人在時間之流中，都佔有一個地位。也是中國文化重視返本歸源、敬宗收族的具體結果，對中國民族克服歷史災難、度過時代危機，曾發揮了莫大的意義。

『所以中國民族，早在三千年前，即是本枝百世、瓜瓞綿綿的植根最深最久的民族。族譜成為中國文化的一大特色。』

——一九七七／八／十二，〈瞎遊雜記之八〉，《華僑日報》

談文化之三十五

『在自然博物館裡面，從恐龍、化石、史前史後的動植物標本、實物，誠可謂聚「自然」的大觀。其中有南、北美大陸先史時代的原住民，及現時北極下的埃斯基摩人等各方面生活情態的模仿構造，都十分的逼真。

『但為什麼要把這些原住人、原始人的材料陳列在自然博物館裡呢？他們生產的工具，雖然非常的簡陋，但他們所做的裝飾品、工藝品，有的已表現相當高的技巧。不論怎樣，他們都已經是「人」，都有了某種程度的文化，為什麼可以安置在與動植、礦物相等倫的位置呢？』

——一九七七／八／二十六，〈瞎遊雜記之十一〉，《華僑日報》

談文化之三十六

『我在紐約大都會博物館及此美術館裡，覺得其他古代民族在工藝上所表現的技巧，文藝復興時代的繪畫在光和線條顏色上所表現的技巧，實在是目眩神移，氣為之奪。幾乎對中國藝術，失掉了信心。

『但走進夫里爾美術館（The Freer Gallery of Art）看到商周時代的銅器及陳列的字畫，方感到他們的工藝品近於纖巧，而我們所表現的則是威重。他們的繪畫是適應感官的要求，而我們的則係超越感官以得到精神的解放。這完全是屬於兩個不同的世界。商、周銅器及好的書畫，我過去也看得相當多了。但只有在這種鮮明對比之下，才引起我上述的瑩澈的感覺。於是我又回復到「不輕視他人，同時也尊重自己」的本來態度。』

——一九七七／八／二十五，〈瞎遊雜記之十一〉，《華僑日報》

談文化之三十七

『另一引起我更大注意的，是美國人強烈地歷史意識；並以財富和科技的能力，來滿足他們的歷史意識。普林斯頓大學行政中心，是紀念華盛頓曾在此宿營的。進門的三面牆壁，刻著該校由獨立戰爭一直到韓戰的歷居戰死的學生年級和姓名；這可和德州州立農工大學學生活動中心進門口的碑文，連在一起來想想。凡是華盛頓所經過的戰役地點，不論勝敗，無不闢成國家公園，並設置紀念。』

——一九七七／八／二十五，〈瞎遊雜記之十一〉，《華僑日報》

談文化之三十八

『臺灣的孔孟學會，是由吳延琰的建議而設立的，我常因此感到羞愧。』

——一九七八／八／十四，〈中共越共應增加歷史了解〉，《華僑日報》

談文化之三十九

『每個人皆妊育於自己民族歷史之中，即是皆妊育於自己民族文化傳統之中。

『傳統文化，概略地可分三部分。一是到現在還有意義的部分；二是阻礙進步的部分；三是既非有意義，也不阻礙進步，而只形成一種風俗習慣。

『宗教是一種盤節性很強的傳統文化，所以第二部分的作用也特別大。

『基督教自身，也作了許多適應性的努力；在西方先進國家中，才把第二部分的作用減低至最低限度。』

——一九七九／二／十——十四，〈文化賣國賊〉，《華僑日報》

談文化之四十

『有的東西，在它形成時是一種罪惡；但形成以後，留到現在，便變成歷史的標誌、民族的資產、人類的資產。最大的罪惡產物，還有過於埃及的金字塔嗎？但金字塔不僅在埃及，即在世界文化之中，也有非常重要的地位。』

——一九八一／十二／十五，〈港居瑣談（之一）〉，《華僑日報》

陸、藝術

陸之一、藝術的根源

藝術的根源之一

『人類在長期的原始生活中，過著混沌野蠻的生活。但在渾沌中漸漸發現條理，在條理中而漸漸建立起清明的世界形象；在清明的世界形象中而漸漸發現美的意欲，表現為美的形相，以成就所謂「美術」這一部門的文化。這是人類脫離渾沌、野蠻，而奠定自己地位的一個重要標誌。

『形相之美，是人類生命的昇華。千變萬化的藝術活動，必需歸結到「美」的上面。

『人類只能在「美」和「善」的上面得到精神的著落點，得到生命的安全感覺。』

——一九六〇／五／二十四，〈毀滅的象徵〉，《華僑日報》

藝術的根源之二

『看美術，是直接訴之於自己的感官、訴之於自己的心靈，在看得不合意時，反省自己的成見，作各種角度的改變和調整。

『偉大的藝術家，常常把潛伏著的形相，彰著出來，使人看了，感到原來世界上，人生的意境上，尚有這樣幽深、高遠、奇崛的形相之美；於是藝術的自身因而更為豐富；接觸到這種藝術的人生也隨之豐富了。

『但現代的藝術家，卻只能以極端的「雜亂」、「渾沌」來充數。為了要人注意到他們的「雜亂」與「渾沌」，並加強雜亂與渾沌的氣氛，便重重地用烏黑、赭紅的顏色。』

——一九六〇／五／二十四，〈毀滅的象徵〉，《華僑日報》

藝術的根源之三

『藝術是以形相之美為它的生命。而與人以新鮮地感覺，乃是構成美的一個重要因素。新鮮地感覺，主要是從變得來的。

『促使藝術變化的因素很多，略言之計：

『(一)是原有藝術本身所含有的可變的、應當變的因素。

『(二)是由異質文化互相接觸所引起的觀念的改變，及新因素的吸收。

『(三)是作家從大眾所得的原始性地，或者是最直接性的啓發啓示。

『但其中最重大的因素，都是來自政治、社會的變革。』

——一九六一／九／三，〈從藝術的變‧看人生的態度〉，《華僑日報》

藝術的根源之四

『藝術作品，既不是純主觀的，也不是純客觀的。

『若是純客觀的，則是科學而不是藝術。若是純主觀的，則只是一種不可捉摸的一團氣氛，或一團幻影。

『把主觀生命的躍動，投射到某一客觀的事物上面去；借某一客觀事務的形相，把生命的躍動表現出來，這便是藝術作品。

『藝術作品，固然是訴之於人的感官，但感官對作者而言，只是第二義的。第一義的卻是作者未表現出來以前的生命的躍動。

『這種生命的躍動，假定與以反觀內照，便使其停蓄在生命的內部，讓它從幽暗中澄汰出來，以形成晶瑩朗澈的內在世界，這即可用另一名詞稱之為作者的「精神境界」。

『藝術上第一義的「精神境界」愈深愈廣，一面可以表現出突破凡近的形相，同時也可以在凡近中表現偉大，在陳舊中表現新奇。』

——一九六一／九／三，〈從藝術的變・看人生的態度〉，《華僑日報》

藝術的根源之五

『我們不妨這樣的認定：藏在人性深處的愛，本來是很純淨的；正因為是純淨的，所以其本身也是藝術的。通過藝術史、文學史來看，這正是一切偉大的藝術家、文學家所追求不已的方向，也是發掘不盡的源泉。因為這是真正的人性，所以也是真正人性所要求的藝術。』

——一九六三／五／二十八，〈看〈梁祝〉之後〉，《徵信新聞報》

藝術的根源之六

『一個藝術作品，是由兩大因素構成的。

『一是作者的精神主體，通俗的說，即是作者的個性。另一是表現個性的工具——技巧。

『技巧可以來自古人、來自他人、來自各種各樣的流派，只要把吸收來的技巧，經過自己的鍛鍊，驅遣來作表現自己的工具。而不致為技巧所拘牽，以致因技巧而埋沒自己的個性，則這種技巧，是自己創造的也好，是向他人摹習得也好，都有同等的意義。』

——一九七三／四／二十七，〈再論畢加索〉，《華僑日報》

藝術的根源之七

『藝術家與大眾之間的脫節問題。

『在以貴族為主的歷史階段，文學、藝術，是與大眾無關的。一直到近三百年的發展，文學、藝術與大眾的關係，才為之一變，這是歷史的一大進步。

『但近三、四十年來的所謂現代文學、藝術，又和大眾疏隔起來了。這種疏隔，與貴族時代主要不同之點，過去是來自教育的不普及；而今日則是來自文學家、藝術家特異的觀點和表現的特異的形式。』

『抽象畫、意識流的詩，可以自己結成團體，互相欣賞一番；大眾所能接受的依然是以結構、對象、主題為基點。』

——一九六四／三／二十四，〈漫談國產影片〉，《徵信新聞報》

藝術的根源之八

『普遍地人性，是抽象的；在實現時，必定凝結而為某一民族的民族性，凝聚而為某一偉大作家得到民族性的塑造之功的個性。

『因之，有人說，「世界文學」，乃在深澈於自己的民族性、個性之中，絕不存在於自己的民族性、個性之外。

『本是中國人，而自己在意識上否定自己是中國人的，他是沒有能力接受中國文化薰陶，把自己排除於中國民族性之外的人。他不可能真正接受異質文薰陶以塑造自己的個性。這種人，只能有「動物的機智」，不可能有文化個性。不可能成為一個藝術家或藝術的理論家。』

——一九七三／四／二十七，〈再論畢加索〉，《華僑日報》

陸之二、中國藝術

中國藝術之一

『中國的藝術精神，追根到底，即是莊子的虛、靜、明的精神。虛、靜、明的精神，一方面可以解脫某些僵化了的價值標準的束縛，同時即可承認由生活經驗不同而來的各種不同價值標準的平等地位。此即莊子之所謂齊物。另一方面，美是在虛、靜、明的精神狀態之上所發現，所成立的。

『「平、淡、天真」，是中國藝術的基本性格。平是平正、平實，與怪異相反。淡是雅淡、素樸，與裝飾相反。天真是未被污染的生命的本來面目，與邪僻相反。

『平、淡、天真，可以涵融千變萬化。真正地千變萬化，最後仍歸於平、淡、天真。平淡天真是活的生命。活的生命的自身，即是有限中的無限，即涵有千變萬化。』

——一九七二／十一／十一，〈中國藝術雜談〉，《新亞學生報》

中國藝術之二

『宋人（一時忘其姓名）有首詠牽牛花的絕句，末兩句是「老覺淡粧差有味，滿身秋露立多時」。三十年來不斷地想到這兩句詩。每一想到，便覺得滿身秋露，站在牽牛花前，低徊往復，悵惘不甘的這位老人，好像就是我自己；精神上彷彿澄汰了些甚麼，感受到了些甚麼。

『淡粧是存在於濃粧與質樸之間的儀態。不是不粧，而只是淡淡地粧；既顯出了質樸中的美，又絕不讓化粧品和服裝壓過了一個生命的本來純潔之姿。這是與心靈融和在一起的從容寧靜之美，這是沒有凸出的橫斷面，卻有深情遠意，讓人在這種深和遠的意境中，暫時突破人世間的各種侷限，而通向微茫綿邈、物我皆忘之美。

『一個滿身瘡痍的老人，驟然與此相遇，把早應當放下而苦於無法放下的許多糾纏，不知不覺的一時都放下了；使自己的生命，隨著美的從容而從容，隨著美的寧靜而寧靜，隨著美的純潔而純潔；感到草草一生中，只有此時才真正忘記了自己，卻真正享受了自己。

『這種淡粧之美，也是可遇而不可求。而這位詩人，卻遇之於牆根架上的牽牛花，使他站在她面前低徊玩味，不惜露上滿身的秋露。而我卻遇之於這位詩人的兩句詩，使我三十年來反覆微吟低唱，而不知其所以然。

『誰能從淡中發現美，誰能領略淡即是美，大概才夠得上談中國的藝術，才夠得上窺尋中國的藝術人生。』

——一九七九／五／三十，〈老覺淡粧談有味〉，《明報》、《集思錄》

中國藝術之三

『畫與詩在藝術的範圍中，本來可說是處於兩極相對的地位。

『藝術的分類，通常是把建築、雕刻、繪畫，稱為造型藝術，或空間藝術。把舞蹈、音樂、詩歌，稱之為音律藝術，或時間藝術。

『任何藝術，都是在主觀與客觀相互關係之間所成立的，藝術中的各種差異，也可以說是由二者間的距差不同而來。

『繪畫雖不僅是「再現自然」，但究以「再現自然」為其基調。所以它常是偏向於客觀的一面。

『畫因為是以再現自然為基調，所以決定畫的機能是「見」。

『而畫家必是「能見」的人。

『詩因為是以「言志」為基調，決定詩的機能是「感」，而詩人必定是「善感」的人。「可以說，畫是「見的藝術」，而詩則是「感的藝術」。在美的性格上，則畫常表現為冷澈之美；而詩則常表現為溫柔之美。』

——一九六四／十／七，〈中國畫與詩的融合〉，《徵信新聞學術周刊》十期

中國藝術之四

『將詩寫在畫面的空白上，一方面固然是詩、畫在精神意境上已完成了融合以後，在形式上所應當出現的自然而然的結果；但同時寫在畫面空白的詩的位置，實際也是出於意匠經營，故因而得以構成畫面的一部分，以保持藝術形式上的統一。』

——一九六四／十／七，〈中國畫與詩的融合〉，《徵信新聞學術周刊》，十期

中國藝術之五

『黃梅調代替了故事發展中的曲折，並大大地幫助了演員的演技。

『西方有位文藝批評家，曾經有下面的一句話：「人藏在內心深處的感情，不是寫出來，說出來的，而是唱出來的。」（大意如此）唱的腔調，即是感情自身的體現；也可以說「腔調」即是感情的自身。

『「平劇」，它的「腔調」太複雜太高級了。它是像音樂接近的美，和自然地語言距離太遠，不能配合到尋常的生活動作中去。黃梅調完全出自黃梅的民間，它的「腔調」，反映出民間自然流露出的素樸的感情，而又與自然地語言相去不遠，所以把它融入到電影的動作中去，使戲劇化與現實感，容易得到諧和；而劇情內所蘊含的深厚感情，便很自然而然地通過此一純樸、婉曼的腔調，表現了出來，大大地增加了演技的效果。』

——一九六三／五／二十八，〈看〈梁祝〉之後〉，《徵信新聞報》

陸之三、現代藝術

現代藝術之一

『正統的藝術觀念是：科學發現自然的法則，而藝術則是發現自然的形相。

『一般人所能把握得到的自然形相，乃是沒有精神的形相，是不完全的、沒有本質的形相；只有藝術家，才能把握到與精神相融、相印的形相。但自然的精神，既不為其形相所拘，也不會離開形相而獨在。

『人只能把握到有秩序的東西。對於沒有秩序的東西，而賦與以秩序，這是人類認知理性的本性。所以能為人所把握的自然的形相，必定是有秩序的。

『藝術家依然要通過自然形相的秩序，以把握自然精神所醞釀的秩序。上下、左右、前後等範疇，是構成秩序的基本條件。只要是具有某種形相，便會受到這些基本範疇的規定。對形相的否定，也即是對秩序的否定。

『抽象畫把形相抽掉了，也等於把人所賴以把握藝術品的某種秩序抽掉了。此種藝術品已成為不能被人所把握的東西。

『由形質進入到精神，常有微茫緜邈，難於捉摸的境界。人世間的所謂上下左右等分界，在此一境界中皆無存在的餘地。

『但此一境界的自身，既非語言之所能擬議，更非畫面之所能形容。若欲訴之於語言，則必假借由語言秩序所暗示的言外之旨。若欲訴之於畫面，則必假借由形相秩序所烘托出的有中之無。

『用語言來否定語言的秩序，這是所謂意識流文學的窮途。以劃出的形相來否定形相，此抽象藝術之所以為弔詭。

『藝術家乃至道德家，都是努力於自己生命中內在世界的開闢；但是這種種開闢，與自然和社會，是緊密地關聯在一起；他可以是對自然與社會舊秩序的否定，但絕非對秩序自身的否定。』

——一九六八／二／三，〈抽象藝術的斷想〉，《華僑日報》

現代藝術之二

『人的身體，祇有食、色這一類的刺激反應；順著反應去活動，祇是一種無目的性的、混沌的活動。

『理性的作用，燭照著血肉的活動，而賦與以價值和方向，以使人作合理的選擇，於是人開始能自由而和諧的生存下去。

『人們的原始生命力，以其渾沌之姿，一股黑氣沖天而去，突破了知性而要獨自橫衝直闖。西方現代一切反合理主義的思想，以及假科學之名以否定人的理想性的邏輯實證論、心理行為主義、精神分析等等，都是從這一根源中發生出來的。

『原始生命是混沌的、醜惡的、幽晦的。所以表現在全盤的藝術上，也是混沌的、醜惡的、幽晦的。』

——一九六〇／五／二十四，〈毀滅的象徵〉，《華僑日報》

現代藝術之三

『藝術的形象，雖由自然而來，可是作品中的形相，實際含有藝術家的感情、個性在裡面；因此，它是主觀與客觀合一的結晶。所以藝術品的每一形象，並不是模仿而是一種創造。

『宇宙間的形相是無限的，所以藝術的創作也是無窮的。創造是要用新的心靈、感覺，來發現新的形象。在發現的過程中，既成的形象，是一種限制、阻礙。

『因之，現代藝術家用抽象的方法來破壞形象的運動，可以看作是發現新形象的過程。

『目前的現代藝術家，只是藝術中以破壞為任務的草澤英雄；他們破壞的工作完成，他們的任務也便完成；而他們自己也失掉其存在的意味。』

——一九六一／八／十四，〈現代藝術的歸趨〉，《華僑日報》

現代藝術之四

『現實藝術家的孤獨，乃是來自他們自己背棄了人，有意地走向非人的世界。』

——一九六一／七／十七〈非人的藝術與文學〉，《華僑日報》

現代藝術之五

『現代藝術的開創人，主要是來自對時代的敏銳感覺，而覺得在既成的現實中，找不到出路，看不見前途；因而形成內心的空虛、苦悶、憂憤，於是感到一切既成的藝術形相乃至自然形相，都和他的空虛、苦悶、憂憤的生命躍動，發生了距離。要把他內心的空虛、苦悶、憂憤的真實，不受一切形相的拘束，而如實的表現出來，這便自然而然地成了抽象的畫，或超現實的詩了。

『但一般追隨的人，只是要向自然科學的成就，沾潤一點餘光，以變了又變的心情，求得官能上新奇地感覺。不奇便不新，不新便不能給官能以快感。

『這樣一來，便為了達到新奇的目的，而寧願犧牲、破壞藝術的一切傳統，甚至否定到藝術本身，連美的觀念也把它否定掉了。

『極其究，這只是官能的文化、官能的人生下面的必然現象。所以抽象畫只講究顏色，而超現實的詩則特重由文字所堆成的形式，並不重視內容。』

——一九六一／九／三，〈從藝術的變・看人生的態度〉，《華僑日報》

現代藝術之六

『在中國文化中把親子之愛，當作人類愛的根苗。但在佛洛伊德的思想中，則把親子之愛，事實上變成了「萬惡淫為首」的根苗了。

「藝術的生命是「美」；但美與愛，有其不可分的密切關係。

「因為是「美」，所以才有愛；因為愛，才能發現美。美，在其最根源的地方，是要受愛的規定的。

「現代超現實主義、抽象主義的藝術，它不僅反對傳統藝術，而且實際反對到作為藝術生命的「美」。』

——一九六一／十／一，〈愛與美〉，《華僑日報》

現代藝術之七

『在中國古代，在德上、在藝術上，都表現出人與自然的諧和、融合的境界。

『藝術的創作，是成立於人與自然之間的接觸線上。而偉大的藝術品，常表現為人物兩忘、主客合一的境界。

『背叛了自然的藝術，同時便不能不是背叛了大眾的藝術。

『因為創造的衝動，與「自然」這種典範所具有的權威之間，切斷了聯繫的線索。這種藝術，是違離了自然的東西。從自然離開了的藝術，也不能不從大眾離開。』

——一九六一／十／五，〈現代藝術對自然的叛逆〉，《華僑日報》

陸之四、藝術家和藝術作品

藝術家和藝術作品之一

『豈特張先生（註：張大千）和齊白石氏的作品是有血、有肉、有個性的作品，連溥心畬氏的作品同樣也是有血、有肉、有個性的作品。

『張先生對畫法的把握，可以說在當代更無第二人，但對中國藝術精神的把握，則似乎還有向上一關，未能透入。

『張先生在技巧修鍊上的精勤和成就，是兩三百年中所少見的，所以他不僅發明了墨和青綠混合使用的方法，增加畫面在混沌中的神祕氣氛；並且他的墨潑下去，深、淺互相掩覆，達到了張彥遠說的「運墨而五色具」的程度。尤其是他使潑墨與工筆在一張畫面上得到自然諧和，於渾茫中透出一股靈秀之氣；這只有齊白石把濃墨與大紅赭協和在一起的本領，才可與張先生比美。』

——一九六八／二／十五，〈與張大千的兩席談〉，《華僑日報》

藝術家和藝術作品之二

『畢加索的變態變調，所以獲得他人無法企及的成功，可以歸納為下面的三點：

『第一、他的天才，首先表現在他的素描方面。他是以新古典主義的素描，表現他的變態的幻想。有了這一基本技能，才能變化隨心，無往不利。

『第二、在他作品中，都融注著他自己的生命，都有他的個性在畫面中跳躍。

『第三、他由民族所塑造的個性，恰好和他所處的時代精神狀況有相通之處。』

——一九七三／四／十九，〈畢加索的時代〉，《華僑日報》

藝術家和藝術作品之三

『研究畢加索的藝術的人，一定要追到畢加索的個性；要把握畢加索個性的人，一定會追向西班牙的文化遺產，以及由西班牙文化遺產所凝結的西班牙的民族性。』

——一九七三／四／二十七，〈再論畢加索〉，《華僑日報》

藝術家和藝術作品之四

『藝術佔領人類生活中的一部分；在這一部分中，人可以把許多糾纏困擾乃至汙穢的東西，暫時放下，以恢復生命的寧靜、愉悅及純潔，使生活能重新出發；而在重新出發時，能保持生活的正常，並增加工作的活力。藝術對人生的真正意義在此，由洪通所展出的人生意義也在此。』

——一九七六／三／二十四，〈一顆原始藝術心靈的出現〉，《華僑日報》

藝術家和藝術作品之五

『文學藝術的高下，決定於作品的格；格的高下，決定於作者的心；心的清濁、深淺，決定於其人的學，尤決定於其人自許自期的立身之地。我希望大家由此以欣賞先生（註：溥心畬）之畫，由此以鑑賞一切的畫。』

——一九七八，〈溥心畬先生的人格與畫格〉，畫展序文

藝術家和藝術作品之六

『紅燈記的唱辭及白毛女的臺詞，都相當地警切精煉，不是舊平劇的唱詞可以比擬的。

『鋼琴配皮黃調，倒也配得不錯。但我不能明白的是，鋼琴配皮黃調，較之胡琴、月琴配皮黃調，好處是在什麼地方，以絃索配唱詞的平劇，經過百多年的磨練，可以説達到了情與聲諧和無間、水乳交融的程度。有什麼必須要非費這大的氣力，改用鋼琴配調不可？

『所有的舞姿（註：白毛女），大概從芭蕾舞解放出來，融合了許多民間的舞姿，並採入了平劇中的若干身段，以凝成一種帶中國泥土氣味的舞蹈。我想，這一條路是相當正確、而也獲得了相當成功的。』

——一九七〇／十／十二，〈評江青的樣板技術〉，《華僑日報》

藝術家和藝術作品之七

『作為梁淑怡開台戲的《名流情史》的失敗，是劇本問題，不是演員問題。

『自從亞里士多德提出 Plot 的重要性以後，除了意識流小說和白日夢詩以外，沒有人能違背此一基本原則而能獲得成功的。日本人把 Plot 譯為「筋」，值得我們玩味。

『《名流情史》的情節，有如海裡的「水母」，只是一堆為小動物集結在一起，可隨意割掉一些，也可隨意拚上一些。其中沒有「筋」，沒有故事的「主線」，我認為這是很失敗的一點。』

——一九七八／八／十五，〈港市瑣談〉，《華僑日報》

柒、文學

柒之一、文學的根源

文學的根源之一

『以孔子「三人行，必有我師焉」的好學精神，他的詩教，是前有所承，再加以自己平日不斷地歌詠（《論語》：「子於是日哭則不歌」。是孔子平日不斷歌詩的），所加深擴大的體驗，便把他人和自己體驗所得，用興、觀、群、怨、四個觀念，明白表達出來以立教（把體驗用概念表達出來，這中間還有一番理論反省的功夫，兩者常隔有很長的一段時間）。

『引發詩人興、觀、群、怨的對象是他所遭遇的問題，而興、觀、群、怨的結果是表現為作品。』

——一九七九／二／十—十四，〈文化賣國賊〉，《華僑日報》

文學的根源之二

『文藝復興運動的內容，世人多稱它為「我的自覺」。

『近代我的自覺的開始，便是找出人與物的不同之處，來重新奠定人的地位和責任；這用中國的舊名詞說，即是所謂「人禽之辨」。

『只有人類才能在自己的情緒中，發生一種自覺，因而從情緒中發展出一系列的文化，以建立人類生活的價值、尊嚴，即安排人與人的合理關係。』

——一九五九／三／二，〈今日中國文化上的危機〉，《東風》

文學的根源之三

『作品中的藝術性問題。

『在研究或學習過程中，常從作品中抽出構成藝術性的因素，如結構、修辭等，作獨立性的處理。但這只是研究、學習過程中的方便。

『這些被抽出的因素的自身是「無記」的，無好壞可言的；各因素的藝術性，要在作品的統一體中，亦即是要在中國之所謂「文體」中始能決定。

『將主題通過文字作如實地、有效地表達出來，這即是文學中的藝術性。所以藝術性是附麗於內容而存在，可以說這是出自內容自身的要求，無所謂獨立性的問題。』

——一九七九／九／二十五，〈中國文學討論中的迷失〉，《華僑日報》

文學的根源之四

『詩人之所以成為詩人，是因為他經常保持一顆純潔的心，經常用一顆純潔的心來觀照世界，常常感到世界的缺憾，因而發出補救缺憾的呼聲。

『僅僅是歌功頌德之流絕不能成為詩人。』

——一九五七／五／一，〈按語 〈論陳含光的詩與文藝獎〉 馬抱甫著〉，《民主評論》八卷九期

文學的根源之五

『余先生（註：余光中）對此詩評鑑的重點，是放在後面所作的哲學性的解析上。『哲學是「方以智」，詩則是「圓而神」。拿著哲學式的固定格式來評鑑詩，可能說得愈高，離詩的本質愈遠。『中國詩的大統，其本質是感情而不是哲理，則是可以斷言的。當然二者不可斷然截斷，但也必有主從之分。』

——一九七九／五／二十二，〈答薛順雄教授商討「白日依山盡」詩〉，《中國時報》

文學的根源之六

『想像，不僅應用到文學裡面，有時也應用到科學，尤其是史學裡面。

『在文學與史學的想像中，假定要做質的區別，我可簡單說一句，挾帶著感情的想像，是文學的想像；不挾帶感情的想像，是史學的想像。文學的想像，可以說想像的自身便構成文學。史學的想像，則只能作為搜羅與解釋史實的導引，想像的自身絕不能構成史學。』

——一九八〇，〈中國文學中的想像問題〉，《徐復觀文錄選粹》，學生書局，台北

文學的根源之七

『我的看法，由感情所推動的想像與感情融合在一起的想像，這才值得稱為文學的想像。不是與感情融和在一起的；這便非想像而是空想。

『文學之真，指的是在想像中的感情，及由想像所賦予於感情的力量；感情是人生之真，所以與感情融合在一起，並對感情的表出給與以莫大助力的想像，便也是真的。

『若從想像中抽掉了感情，也就等於從想像中抽調了真實，於是我們便應當稱之為空想。由空想所構成的作品，可以滿足人的好奇心，有如推理小說武俠小說之類。

『但寫得再好，也不過是三流以下的文學。』

——一九八〇，〈中國文學中的想像問題〉，《徐復觀文錄選粹》，學生書局，台北

文學的根源之八

『有了某種感情，便常自然而然地要求某種想像來與以滿足。因為感情的鬱，只有在想像中方可加以發抒，而發抒即是滿足。

『感情是幽暗飄盪，無從把握的東西。感情的發抒，即是感情由幽暗而趨於明朗，由飄盪而歸於凝定。要達到這一步，最好是不要訴之於概念性的陳述；因為若是如此，便可能進入到哲學或其他學問的範圍，而漸脫離了感情的本質。感情發抒的藝術性，常常是感情的形象化。

『由感情的積鬱太深太厚，不是日常生活範圍中的想像可以表達出來，便常常不知不覺之中，深入到神話中去了。因為屈原是「憂心煩亂，不知所愬」，所以離騷中的想像，便常和神話結在一起；他不知所愬的感情，便由想像所連結的神話共飛揚上下而馳騁。並且可以說，只有經過作者塗上了感情的神話，才能成為文學取材的一種重大要素；否則神話是神話，文學是文學。

『由感情逼出想像所構成的文學，這常是第一等的文學。紅樓夢所以能成為第一流的文學作品，是因為紅樓夢中的想像，主要是由曹雪芹「字字看來皆是血」的感情所逼出來的。這是感情在先，想像在後。但更多的情形，則是想像在先，感情在後；感情是由想像所引出的。』

——一九八〇，〈中國文學中的想像問題〉，《徐復觀文錄選粹》，學生書局，台北

文學的根源之九

『想像是文學表現的重要手段，但並非是唯一的手段。想像以外，還有推理、體認、觀察、觀照等等。但想像經常或多或少的與上述那些手段，親合在一起，使其得互相發揮的效用。

『想像與觀照，似乎是立於對蹠的地位，最不容易發生親合的關係；因為觀照是「現前」的事物，而想像則不是現前的事物。在中國的詩裡面，寫景佔很重要的地位，亦即是觀照佔很重要的地位。但把想像與觀照作關聯的表現時，卻反而可以增加表現的效果。

『在觀照中的想像，它所含的感情，多是淡、薄、虛、和的感情，所以感情的氣氛不夠濃厚；常常是隱而不顯。但不能因此忽視了文學的想像，必然會和感情連結在一起的這一事實。』

——一九八〇，〈中國文學中的想像問題〉，《徐復觀文錄選粹》，學生書局，台北

文學的根源之十

『所謂聯想的想像，是「依類隱身」出來的想像。我國詩經中的比和興，都可以說是這種聯想的應用。

『詩人通過自己聯想地想像，將兩個本不相干的事物，融合在一起，此時的想像，自然而然地不發生真實不真實的問題。由此種想像所烘托出的欣慰的氣氛，乃人情所應有，這便是文學的真實。

『聯想地想像的盡量發揮，常表現於小說創作之上。我的看法，一部成功的小說，都是通過聯想地想像，把散見於社會中的某些現象，以凝縮成一篇小說中的情節；把散見於各種人群中的某些生活，凝縮為小說中的人物；聯想力愈大，凝縮力愈強的，小說中的情節和人物的典型也愈大愈強。這是文學家通過創作的心靈，創造出寫「原始資料」無法表現得出來的真實。科學地真實是由科學家的發明而建；文學地真實是由文學家的「發見」而得。而發見的最大工具便是想像。』

——一九八〇，〈中國文學中的想像與真實〉，《徐復觀文錄選粹》，學生書局，台北

文學的根源之十一

『「解釋地聯想」，所謂解釋，主要是指向兩個方面。

『一是對於某種情境所含有的意味的解釋。哲學家對意味的解釋通過思辨；文學家則常常是通過描寫，以使某種意味成為人們容易感受到的具體形相。所要表現的意味若是真實，則為了解釋這種意味所成立的想像也是真實的。

『解釋的想像所指向的另一方面，是人的行為動機；由動機而銜接到心理狀態。文學家之所以成為文學家，便是在他不走科學的調查、實驗之路，而只憑自己由經驗、體認所積累的想像之力，以得到目前心理學家所無法得到的解釋。

『這種由想像而來的解釋，在文學中則是常例；此種解釋的真實性，決定於所能解釋的程度。如果解釋得天衣無縫，使讀者所挾的疑團，渙然冰釋於不知不覺之中，這也是發現了一般人所不能發現的真實。』

——一九八〇，〈中國文學中的想像問題〉，《徐復觀文錄選粹》，學生書局，台北

文學的根源之十二

『從創作動機講，中國文學，可分為三大類型，其中第一類型是「由感動而來的文學」。

『感動可分為兩種，一種是勞人思婦的「基源性的個體生命的感動」，這種感動是個人的，「同時即是萬人萬世的」。另一種是詩人在群體生活中生根，由此而發生個人與群體的「同命感」，由同命感而來的「群體生命的感動」。

『由上述兩種感動而來的文學，即是中國文學的真脈。』

——一九八〇／二／二十七，〈讀艾青「新詩應改受到檢驗」〉，《華僑日報》

文學的根源之十三

『一般人的心理狀態，並不表現於行為之上（語言也是一種行為）。而「深層心理」，也不表現於一般意識活動之上。未表現為行為的心理，未浮上到意識層的深層心理，可能是人生中最真實的一部份。

『對於上述的心理狀態，若通過想像的手段表達出來，這便近於一般所說的心理小說。不通過想像的手段，而要當下就深層心理的原有狀態表達出來，這便是意識流的小說和白日夢的詩。』

——一九八〇，〈中國文學中的想像問題〉，《徐復觀文錄選粹》，學生書局，台北

文學的根源之十四

『真正的文藝主流，必然是出於作者由某些事物衝激所引起的內心感動或感憤。

『作者的感動、感憤，是把許多人所共有、卻無法表達出，作者以特出表現能力，把它表達出來，以引起讀者「不啻若自其己出」的感受。或者把許多人不曾認識到的某些事物隱藏的本質，作者以其特出的感悟能力，把它發覺，彰著出來，以引起讀者如醉方醒、如夢方覺的感受。

『作者不同於一般人的是他的感悟力及表現力，作者同於一般人的是由良心深處所發出的感情。

『引起感動、感憤地對象，粗略地說，不出政治、社會、人生三大端。但在民主政治之下，題材的重點多環繞著社會、人生；在封建制度之下，題材的重點必然是政治。』

——一九八二／二／八，〈文藝創作自由的聯想〉，《華僑日報》

文學的根源之十五

『缺乏對人生、社會的感受性的人，乃至對這種感受性輕易予以放過，而不加珍惜、凝定的人，便不易成為一個作家。

『有表現能力的青年應經常保持對社會、人生的關心態度，由冷靜的觀察、體認，而釀成心靈的感動，並珍視此種心靈的感動。這一刹那的感動可能並不會構成一個作品的內容、結構；但也應迅速用最直接表現的方式，把它紀錄下來，使它以一種「隨感」式的東西保留下來，作為更大創作的準備。

『一個有志成為作家的青年，在精神上首須從自己生活的小圈子中解放出來，使自己的心靈，能直接和廣大的社會人生照面。

『未動筆以前，應經過長期的醞釀。所謂醞釀，是指有了寫的材料與動機以後，並不立刻動筆，而把它放在腦筋裡轉來轉去的一種情形。

『醞釀了三五天，甚至於十天八天。第一、要寫的主題慢慢地明確了。第二、環繞著題材的煙霧、渣滓、慢慢的淘汰掉了。第三、初次所得的感動、慢慢加深，而且自然有若干修正了。第四、寫作的氣氛、氣勢，慢慢的積蓄濃厚了。醞釀成熟之際，即天機暢順之時，此時的一揮而就，方能發揮出自己的力量。

『寫的過程，即是創造的過程。在醞釀中所形成的輪廓，只不過是一點引子，不僅隨著寫時的思考、想像的深化而可加以修改；並且也可以有勇氣的完全加以放棄，擱下筆來重新醞釀。在動筆以前及動筆中間的醞釀工作，這是自己向自己所具有的潛力的發掘。

『一篇短文總要經過三次修改，並且修改最好是在隔天以後行之，才能勉強沒有字句上的大毛病。

『一個人要在醞釀中培養自己的創造能力，要在修改中培養自己的寫作技巧。能耐心的改、忍痛的改、改得改頭換面，以至字斟句酌才是真功夫，這才是真本領。』

——一九六〇／四／十六，〈如何開始文藝寫作〉，《人生》十九卷十一期

文學的根源之十六

『人類最多的幻想，是活動於文學藝術領域之內。至於宗教，係以幻想為生命，乃歷史上無可爭辯的事實。宗教的神蹟，人在理智上加以拒絕，卻時時在感情上加以保存。

『雜著幻想所建立起來的聖人，這也出於人類追求至善的意志；人性中含有道德理性，便可以產生這種意志。「至善」，也許和「至美」一樣，對現實而言，只能稱為幻想。但對至善、至美的追求，是人從現實中升進的一種力量；因而由藝術理性及由道德理性發出的幻想，不是與真實相衝突，而是要求人類發現更多、更大、更深的真實。

『人不可以完全生活於幻想之中，但人若完全生活於現實之中，沒有一點幻想，這將成為冷酷、機械、沒有將來、沒有社會。這種純現實的人，其所給與人的生活上的不安、及對人類前途的威脅，較之有過多的幻想的人，或更為嚴重。』

——一九六六／四，〈永恆的幻想〉，《東風》三卷七期

文學的根源之十七

『「白話」是口裡所道白的話。把口裡所道白的話，用文字寫了出來，此即所謂白話文。以文學的目的來寫，並且寫出了以後，也值得稱為文學作品，此即所謂白話文學。

『說的話，是說者與聽者互相了解的橋樑。所以同是白話也有好壞之分。最基本的衡量標準，就是作為橋梁的效率。

『在用口說的時候，十句話中，總有幾句說得並不完全但依然可以使聽者聽懂，這是因為得力於說話的神情、姿態、口調的幫助。把說得並不完全的話，照樣寫下來，而失掉了那些幫助，便不能使閱者看懂。白話文並不是「我手寫我口」；而是要把我口回到我的心裡，重新經營一番，才可以寫出來作為寫者與讀者的橋樑的。下筆以前不經營、下筆成篇以後不修改，再是天資高的人，也不會寫好白話文的。

『白話所以成為文學，必須在作品中有更新、更深、更厚的文學內容，這便涉及到文學家的修養問題。文學家也和一般學問家一樣，永遠要保持新鮮地感覺。

『文學家的新鮮感覺的對象，常常涉及於活的人生、社會。因為有這副新鮮感覺，便對自己的生活及生活的周圍，都能發生興趣。由有興趣而觀察下去，思索下去，便能在極尋常的事物中，發現出一般人所不曾、或不能發現的意味。順著這種發現的意味，驅遣熟練的白話文寫了出來，這便是文學作品。』

——一九七一／七／一，〈白話、白話文、白話文學〉，《文學報》

柒之二、文學的社會性

文學的社會性之一

『五四運動以來反對「文以載道」的傳統觀念。但若文藝是人性的表現，是人生的表現，則一個成功的作品，為什麼對於由人性所發出的人之所以為人之道，一定要立於敵對的地位呢？

『道德的教條，不能構成文藝。文學中的道德問題，常是用暗示性的表現技巧。但相反的，反道德的黃色說教，赤裸裸地反道德的情節，未必便寓有藝術性嗎？

『作者本身是人，讀作品的也是人。一個作者只要有人的自覺便自然會有對社會的責任感。作品的倫理道德性是出於作者人性自身的要求。

『若作者對道德感到是一種壓力，對社會感到不應有什麼責任，則此作者的人性，已與一般正常的人性相隔絕了，而只想從對人性弱點的掠奪中，獲取自己的利益，這種非法的前途是不大可靠的。』

——一九六三／五／二十四，〈台北的文藝爭論〉，《華僑日報》

文學的社會性之二

『為人生而藝術、為人生而文學，這是東西藝術、文學的主流。人生不是孤立的，每一個人必生長於社會群體之中；真正地文學，是對人生的批評，是對人生的開闢。批評得愈切，開闢得愈深，即愈可以證明人生是與社會同在，與其國家民族同在。所以為人生而文學，實際也即是為社會而文學，為其國家民族而文學。

『把自己深切所感到的人生社會問題，挾著深厚地「同感」，以藝術性的文字媒介表現了出來，這即是文學。其中表現得更具象化、更形象化的，要算詩與小說這類的純文學。』

——一九六八／四，〈文學與政治〉，《陽明》

文學的社會性之三

『編選文學作品，可以有許多不同的目的；但在許多不同的目的中，以通過文學作品來把握一個時代的動態，應當是最重要的目的。環繞新文學所發生的爭論，不僅可以給爾後的文學工作者以許多的正反兩方面的啓示；不僅可以為想了解當時的作品提供很大的幫助；更重要的是：這種爭論，常常直接表現出一個時代的精神動態，尤其是為了把握大變動時代的精神動態，更為重要。』

——一九六八／三／三十一，〈略評〈中國新文學大系續編選計劃〉，《華僑日報》

文學的社會性之四

『文學的社會性，是構成文學價值乃至構成文學自身的基本條件。

『文學作品中的社會性，是通過人的感情，心理狀態的活動而展開的，即是通過人性的活動而展開的。人性發掘得越深，越可以發現在具體的個別的人性中所含的共通性越大。於是在作品中的「共感」越強，由具體形象所反映出的社會性也越豐富。談文學中的社會性，而不進入到人性的把握，這種社會性是無根的。』

——一九七八／三／七、二十一，〈讀馮至〈論洋為中用〉〉，《華僑日報》

文學的社會性之五

『何以詩人的良心就是人民的利益與願望呢？

『在人生命中的心，沒有受到自私自利的污染時，便稱為良心。孟子說「心之官（任務）則思」的「思」字，是廣義的，把「惻隱」、「是非」、「羞惡」、「辭讓」乃至思考想像等，都包括在裡面。就文學講，也可以說「心之官則感」。感是「感通」、「感動」。他人的不幸，自然進入於自己的心中，有如自己的不幸一樣，這是感通。隨感通而湧出惻隱之心，這是感動。

『詩人是保持著自己的良心，而感通、感動，較一般人更為銳敏的人。所以詩人的良心，必然以國家人民的利益、願望為其真實內容。

『真的文學作品，便是把這種內容寫出來的作品。』

——一九八〇／二／二十七，〈讀艾青「新詩應改受到檢驗」〉，《華僑日報》

文學的社會性之六

『政治家與文學家，有共同的對象——作為集體生活實體的社會、國家、民族；有共同的課題——對那些無窮無盡的問題的解決；並且有共同的心靈——對那些問題能思、能感的心靈。

『文學家是通過文字的藝術性以作精神上的解決，而政治家則通過權力運用上的藝術性以作行為上的解決。

『文學與政治合作最密切而最自然的時代，乃出現在為求民族、國家的基本生存而對外作悲慘的自衛戰爭的時代。』

——一九六八／四，〈文學與政治〉，《陽明》二十八期

文學的社會性之七

『民主政治，是由權力的極力約制，以使社會各方面的活動，都能獲得自由的政治。

『社會問題，有許多不是由政治所直接引起的。因而一個文學家對社會問題的感、興，可以不關連到政治上去。

『所以在民主政治下的文學與政治的關聯，常常浮不到表層上來。這是文學從政治下所得的解放。』

——一九六八／四，〈文學與政治〉，《陽明》二十八期

文學的社會性之八

『創作的自由不自由，主要是發生在封建專制下，以感動、感憤為寫作動機的作品之上。這種作品乃是黑暗中的驚呼、閉悶裡的哽咽、屠戮前的慘叫。是表現生命力的掙扎。

『文藝自由不自由的問題，必然是封建專制政治中所出現的問題，必然是人類在封建專制政治下能不能繼續掙扎，以解脫人類生存所受到的最原始性的威脅迫害的問題。』

——一九八二／二／八，〈文藝創作自由聯想〉，《華僑日報》

文學的社會性之九

『由周公所奠基的周室政權，承認了人民對統治者作批評的正當權利，並給予文藝以創作的自由。這種情形，雖然因秦時大一統的專制政治的出現，而受到很大的壓制。尤其是自唐以後，勒在詩文創作上的繩索，一天緊一天；宋已不斷出現詩獄；……到清代，則每一次文字獄牽連之廣、殘殺之酷，又非過去朝代所能比擬。但清代以前，對朝廷提出直言極諫之士，依然是史不絕書；而殺戮諫臣、言官，幾乎無不視為炯戒。

『這依然應視為兩千多年來由驚呼、哽咽、慘叫所表現的民族生命掙扎的統緒的傳承。此一統緒的斷滅，即反映出民族生命也將歸於斷滅。』

——一九八二／二／八，〈文藝創作自由的聯想〉，《華僑日報》

柒之三、文學的民族性及世界性

文學的民族性及世界性之一

『莫爾頓在其「文學的縣代研究」中所指出的：「世界文學，乃是以各民族文學為立腳點而向前眺望，才能成立」的意見。根據他的意見，不能把握自己民族文學的人，不可能對世界文學有所貢獻。

『在文學藝術方面，民族與民族之見、時代與時代之間，不可輕易用「進步」的觀念。藝術的發展，是「變化」，而不是「進步」。這是目前大家所共同承認的。假定這一觀念不澄清，則民族風格的建立，會遇到許多困難。』

——一九六四／三／二十四，〈漫談國產影片〉，《徵信新聞報》

文學的民族性及世界性之二

『「世界文學」的觀念，是哥德提出的。哥德提出的根據，即在成功的文學作品中所表現的人，是個別的、具體的，但同時也是普遍的、共通的。所以偉大的鄉土文學、民族文學，同時即是世界文學。

『凡是值得稱為文學作品的，必然是對現實的政治、社會、人生，帶有批評性的。批評性的消失，即是文學自身的消失。』

——一九七八／三／七、二十一，〈讀馮至〈論洋為中用〉〉，《華僑日報》

文學的民族性及世界性之三

『「外國文學，對我們能起什麼作用」的問題。

『「只有學，才能知道什麼是有用，什麼是無用。」且因為學所達到的層次不同，對於有用、無用的判斷也因之不同。因此應當把學與用，分成兩個階段。

『在學的階段，只可對作品作客觀的分析、綜合，以求把握它的背景、主題、結構，及其表現上的技巧；這是純知識活動的階段。此一階段告一段落時，才落向有用、無用的價值判斷的階段。

『把價值判斷，過早介入於知識活動之中，由此所得的知識即根據此種知識所作的價值判斷，在效用上依然是可疑的。

『所謂「批判地學」的「批判」，是貫通於兩個階段之中的。第一階段的批判，是知識性的批判。學自身的歷程，即是批判的歷程。第二階段的批判，是價值性的批判。

『什麼可作為價值判斷的基準呢？就一般人來說，我以為應當是「我心甘情願地當一個中國人」的意識，及由此意識而來的國家人民連帶在一起的不容自己的責任心。

『自賤自卑，崇洋媚外的各種醜態，皆源於缺乏這種意識與責任心。』

——一九七八／三／七、二十一，〈讀馮至〈論洋為中用〉〉，《華僑日報》

文學的民族性及世界性之四

『文學家是向人性更深、更完全的地方探索的人，文學作品是對人性作更深、更完全的表現。突破民族的偏見，使人性能表現得更深更完全的文學，即是世界文學。

『首先，人性是內在的實存（Existenz）。將實存通過文字的「媒材」而表現成為文體（Style）時，不僅文字、語言，與某一民族的傳統、社會，有密切地關係；並且在文字語言中所用作象徵的事物，主要地也必是與作者的生活密切相關，而為作者所能親切把握到，因而能運用自如的事物。因此，不論怎樣發掘到了世界性的人性，但其成功的表現，必然帶有民族的風格。

『其次，人性的實存必因感到有某種「問題」而始會從潛伏狀態中發生要求表現出的衝動。所以文學、藝術，對人性的表出，實際是「人性」對「問題」的對應。沒有問題，便沒有文學；乃至不值得稱為文學。問題越深，人性的表出也便愈深。就常情來說，一個人對於他所由以生、他所由以長的民族中的各種事物，是他所能感受到的最真實、最親切地問題點之所在。因此，同樣的人性，當其以「問題」的具體性，而形成一個作品的內容時，假定是一個成功的作品，也必定會帶有民族的風格。

『一個人，若對於與他血肉呼吸相連相通的自己的民族的問題，麻木到一無所知、一無所感，怎麼對於與自己距離較遠、感情較疏的世界，能提出真實的問題，以形成一個作品的內容呢？』

——一九六四／四／二十二，〈國產電影的民族風格問題〉，《自由報》四三七期

文學的民族性及世界性之五

『文學藝術的理論，中西都出於體驗，在根源的地方是可以相通的。

『中國體驗所到的最高意境，常較西方出現得早；但不僅這類的意境，愈到後來愈顯得萎縮；並且始終停頓在結論性的簡單語句上，缺少由分析而來的理論構造，使現代人不易把握。

『西方文學藝術所到達的最高意境，例如「文即是人」這種意境，甚至感情是文學藝術的生命的這種事實，要到十八世紀中後期才出現；但它一出現後，即經過反省、思辨之功夫，將體驗賦與以有系統的理論結構，使體驗能因理性的照射而透明於想領受的人。這正是中國所缺少的。』

——一九七九／三／十二、十三，〈從顏元叔教授評鑑杜甫的一首詩說起〉，《中國時報》

文學的民族性及世界性之六

『中西文學藝術的體驗，只能從最根源之地相通，不能硬把西方的格套，向中國文學身上硬套。把西方的最根源的體驗，融會貫通，加以運用，也不是一個簡單問題。而由一九二〇年左右起，西方所興起的達達主義這一系列下來的文學、藝術風潮，更反成為把握西方文學藝術主流的障礙。』

——一九七九／三／十二、十三，〈從顏元叔教授評鑑杜甫的一首詩說起〉，《中國時報》

文學的民族性及世界性之七

『有的研究西方文學的人士，曾倡言「中西文學之不同，在於中國文學中的想像力的貧乏」。

『一方面是：在中國傳統文學中，實用性的文學——序傳、論說、書奏等等，佔有很重要的地位；在這類文學中，當然不容許有豐富的想像活動。西方因報紙雜誌等的發達，實用性的散文，在文學中已日居於重要的地位。

『另一方面，即是就中國文學中的所謂純文學而言，若說它的想像力貧乏，等於是說中國文學的貧乏。因為沒有想像，便沒有文學。

『中國從西周初年起，已開始擺脫原始宗教而走向「人文」之路。人文的世界，是現世的、是中庸的、是與日常生活緊切關聯在一起的世界。

『在此種文化背景、民族性格之下，文學家自然地不要作超現世的想像；不要作慘絕人寰，有如希臘悲劇的走向極端的想像。中國文學家生活於人文世界之中，只在人文世界中發現人生，安頓人生；所以也只在人文世界中發揮他們的想像力。

『中國不發展史詩（詩經中便有不少史詩），是因為中國的史學發展得太早。中國不出現悲劇，是因為中國民族的性格、文化的性格，不願接受走向極端的悲劇。這其中沒有能不能的問題。』

——一九八〇，〈中國文學中的想像問題〉，《徐復觀文錄選粹》，學生書局，台北

文學的民族性及世界性之八

『一個民族的詩歌創作，見之文獻紀錄，三千多年，繩繩不斷的，世界上只有中國。

『假定我們詩歌的傳統也不如西方，那末我們便真是劣等民族。

『因文化背景的不同、因文化指向的不同、因語言的結構不同，在根源性的感情和表現技巧上也是必同中有異；在這種地方，無優劣可言。

『當希臘的悲劇壓倒一切時，中國則抒情詩壓倒一切；中國既不必以抒情詩的發展而自傲，也不必以缺少希臘性的悲劇作品而自卑。

『經過楚辭而出現漢代體制雄偉的詞賦，這是西方所無的，何以因為中國沒有由綴輯而成的荷馬史詩，便發生對中國詩的恐慌情緒。』

——一九七九／三／十二、十三，〈從顏元叔教授評鑑杜甫的一首詩說起〉，《中國時報》

文學的民族性及世界性之九

『一個真正地文學家，必然地是一個愛國主義者。因為文學的心靈，只有在自己國家的土壤上，才能生根，才能發榮滋長。文學心靈的成長，必然地和愛國心成正比例的。』

——一九七四／三／二十六，〈蘇聯統治者的意識形態與謊言〉，《華僑日報》

柒之四、論文學

論文學之一

『到了明代，卻把以藝術的形象性為主的文體觀念，誤解為以「文章題材作標準」所作的文章分類；並由此一誤解而選印了幾部大書，如《文章辨體》、《文體明辨》之類；他們此處所説的「文體，按明以前的觀念，實際只是「分類」。

『日本凡是專門研究文學的人，尤其是研究西洋文學的人，則對文體一詞的觀念，除了解得清清楚楚；並且凡是遇到西方文學著作中 Style 一詞時，除了用音譯之外，絕對多數，即以「文體」一詞譯之。

『遇著 Stylist 一詞時，便毫無例外的，一律譯為「文體論」。

『由研究文學者所編的辭典，對於文體一辭所下的解釋，亦無不與中國文體原有的觀念相合。例如「日本文學大辭典」第六卷第七二頁「文體」條下，「文章尤其用語如何？修辭如何？內容如何？作者個性如何？而生出種種文體……」

『一九五四年研究社所出的「世界文學辭典」一〇五六頁A「樣式」條下，先註明 Style, Stil, 而說明，它有廣狹二義；再接著說：「它的原語 Stilus 是指筆記用的金屬製尖筆，一轉而為文章的寫法，含有文體的意味；在詩學，修辭學，尤其是在文體論中，自古以來，即是這種用法……。」』

——一九六二／二／十六，〈文體觀念的復活〉，《民主評論》十三卷四期

論文學之二

『中國文化，因二千年專制政治之壓迫而變形、而萎縮，文學自非例外。阮籍之〈詠懷詩〉，今日吾輩讀來，只能接觸其一副悲涼、激越的感情，至各首內容，則多半近於猜啞謎，這只是在政治壓迫下，不得已而出此，並非詩之本身作法，非如此不可也。

『後人誤解溫柔敦厚之旨，以猜啞謎式之表現方法為詩法之正宗，直至現在，猶奉為圭臬而不知改。』

——一九五八／五／一，〈按語　〈從《小、大雅》看上古時代的言論自由〉　劉秋潮著〉，《民主評論》九卷九期

國家圖書館出版品預行編目資料

徐復觀教授看世界——時論文摘 四之二卷
文化 藝術 文學

徐武軍、徐元純輯. – 初版. – 臺北市：臺灣學生，2018.04
面；公分

ISBN 978-957-15-1765-0 (平裝)

1. 言論集 2. 時事評論

078 107004621

徐復觀教授看世界——時論文摘 四之二卷

編 輯 者 徐武軍、徐元純
出 版 者 臺灣學生書局有限公司
發 行 人 楊雲龍
發 行 所 臺灣學生書局有限公司
地 址 臺北市和平東路一段 75 巷 11 號
劃撥帳號 00024668
電 話 (02)23928185
傳 眞 (02)23928105
E-mail student.book@msa.hinet.net
網 址 www.studentbook.com.tw
登記證字號 行政院新聞局局版北市業字第玖捌壹號
定 價 新臺幣三四〇元
出版日期 二〇一八年四月初版
ISBN 978-957-15-1765-0

07822